DES/CIFRAR LA DIFERENCIA

Narrativa femenina de la España contemporánea

por

GERALDINE C. NICHOLS

siglo veintiuno editores, sa
CERRO DEL AGUA, 248. 04310 MEXICO, D.F.

siglo veintiuno de españa editores, sa
C/ PLAZA, 5. 28043 MADRID. ESPAÑA

siglo veintiuno argentina editores, sa

siglo veintiuno de colombia, ltda
CARRERA 14, 80-44, BOGOTA. COLOMBIA

Primera edición, enero de 1992

Impreso y hecho en España
Printed and made in Spain

Diseño de la cubierta: Pedro Arjona

Ilustración de la portada:
Mercè Rodoreda. *L'obra pictòrica de Mercè Rodoreda.*
Barcelona. Generalitat de Catalunya, 1991, portada

ISBN: 84-323-0736-X
Depósito legal: M. 229-1992

Fotocomposición: Fernández Ciudad, S. L.
Catalina Suárez, 19. 28007 Madrid

Impreso en Closas-Orcoyen, S. L. Polígono Igarsa
Paracuellos de Jarama (Madrid)

Para Andrés

ÍNDICE

PREFACIO

Para aligerar la lectura, todas las referencias a otros escritos se harán (en forma abreviada) dentro del texto. La bibliografía al final del libro recoge los datos completos de las obras referidas, y en caso de haberla, de su traducción al español. He manejado los textos críticos en su versión inglesa; las traducciones al español me pertenecen. Asimismo son mías las traducciones del catalán, con la excepción de las obras de Carme Riera y Montserrat Roig.

Agradezco la ayuda de una beca del National Endowment for the Humanities (1984-1985) que me permitió hacer gran parte de la investigación que dio fruto en estos ensayos. Por su apoyo y entusiasmo quisiera agradecer a todas las amigas feministas que hice en Cataluña, pero de manera especial a Pilar Cos, Isabel Segura, Mireia Bofill, Carme Riera, Mary Nash, Liz Russell y Jacqueline Hurtley. A María Ángeles Durán, quien me invitó a las Jornadas de Investigación Interdisciplinaria sobre la Mujer en 1984, le debo la inestimable oportunidad de tomar contacto con ellas y con otras feministas investigadoras del hecho español. Andrés Avellaneda me ha ayudado en todo momento en la redacción de estos ensayos; necesitaría su don de palabra para agradecérselo lo suficiente.

1. MUJERES ESCRITORAS Y CRÍTICAS FEMINISTAS

Esta presentación de la crítica literaria feminista se propone familiarizar a los lectores no especializados con los orígenes, el desarrollo y el estado actual —las varias corrientes— de esta disciplina, por lo menos tal como se la practica en los Estados Unidos[1]. Al mismo tiempo servirá de introducción a los otros ensayos del libro, todos ellos ejemplos de este discurso aplicado a textos de escritoras españolas contemporáneas. Quizá deba decir desde el principio —a manera de aclaración de mi propio punto de partida— que si bien utilizo la palabra ginocrítica, difundida en España sobre todo por la prensa, lo hago con ciertas reservas. Me parece un eufemismo empleado para soslayar o menguar la vertiente política de una crítica mejor llamada «feminista» por el hecho de que aspira a cambiar la situación de la mujer, no sólo a analizarla. Toda crítica cultural es política, hasta la más estetizante o historicista, pero pocas insisten como la feminista en explicitarlo. Lo hacemos porque lo tácito, lo que se sobreentiende, lo femenino que se comprende —y se pierde— en el pronombre masculino mal llamado «genérico», lo que «va sin decir» en el discurso patriarcal tradicional, ha mantenido a la mujer en silencio, sin «palabras para decirlo» (Cardinal) hasta anteayer. Hoy las feministas aspiramos a romper ese silencio cuyo fin es la mistificación y perpetuación de un *statu quo* que no nos ha convenido.

Este breve examen de la ginocrítica, entonces, no pretende ser «objetivo» —siendo la objetividad otra postura ideológica— sino explicativo y tan comprensivo como me permitan el espacio y mis propios condicionamientos como hispanista norteamericana formada en la ginocrítica que se practica en los EE UU. Por un lado, es en los EE UU donde más se ha desarrollado el discurso crítico feminista *en*

---

[1] Las traducciones de citas y títulos al castellano son mías, excepto cuando un título traducido aparece en *cursiva,* lo cual significa que el libro ha sido traducido y publicado en castellano. Yo he manejado y cito las páginas de la versión inglesa.

torno a la literatura en los últimos veinte años, lo cual me ha facilitado enormemente mantenerme al tanto del movimiento. Por otro, los estudios feministas de más peso en el ámbito intelectual de este país han salido de los departamentos universitarios de inglés y de francés y han encontrado, hasta ayer no más, poca respuesta entre los hispanistas que se dedican a la literatura española, tradicionalmente más conservadores en su práctica crítica. Una visión de conjunto de la ginocrítica enfocada desde los EE UU, entonces, deberá concentrarse en los libros, ponencias y artículos claves de estudiosas de las literaturas anglonorteamericana y francesa[2]. Al final daré breve cuenta de lo que se está haciendo en el ámbito español, tanto en España como en los EE UU.

Se podría decir que fue Virginia Woolf quien inauguró la ginocrítica con su *A Room of One's Own* (1928. *Una habitación propia*), libro en el cual sopesa los muchos obstáculos que la sociedad ha interpuesto entre la mujer y la creatividad. Casi todos se reducen a uno: la mujer vive en estado de dependencia económica del hombre, por lo cual no puede disponer de su tiempo ni de su espacio; no puede tener siquiera una habitación para ella sola, donde dedicarse a algo suyo propio, como escribir. Este libro, junto con *Le deuxième sexe* de Simone de Beauvoir (1949. *El segundo sexo*), fueron recuperados en la década del sesenta, cuando un segundo gran movimiento feminista empezó a tomar forma en un lado y otro del Atlántico.

Los verdaderos comienzos de la crítica literaria feminista en los EE UU datan de finales de esa década, con la publicación por editoriales prestigiosas de dos libros: *Thinking About Women* de Mary Ellman (1968. Pensar en la mujer), y *Sexual Politics,* la tesis doctoral de Kate Millet (1970. La política sexual). Ellman llama la atención de escritores y críticos masculinos sobre varias prácticas o pensamientos estereotipados suyos que tienden a disminuir a la mujer, escritora o no: el «razonamiento por analogía sexual» y la «crítica fálica». Provee una lista razonada de nueve estereotipos sobre la mujer —que corresponden en gran medida a las 12 cualidades de la mujer

---

[2] Coincido en esta evaluación de los orígenes del discurso crítico feminista actual con Toril Moi y con Elaine Showalter. Este estudio debe mucho al libro de Moi y a los artículos de Showalter citados en la bibliografía.

descritas por José María Pemán en su libro del mismo título (1947; reimp. 1969)— y describe dos mujeres-tipo que rara vez faltan en la literatura: la arpía (tipo Bernarda Alba) y la bruja (tipo la madre de Pascual Duarte). El libro de Millet hizo época por varias razones. Comete la audacia de criticar a ciertos escritores consagrados —D. H. Lawrence, Henry Miller, Norman Mailer, Jean Genet— alegando que sus obras propagan un sistema sexual inequitativo. Para comprender la magnitud de su atrevimiento, es preciso tener en cuenta que en esos años imperaba en las universidades estadounidenses el llamado *New Criticism* (Nueva Crítica), según el cual la obra literaria es un objeto estético autotélico creado por un genio inapelable, y ni obra ni autor guardan conexión alguna con su contexto histórico o cultural. Alegar que una obra literaria puede servir para mantener un sistema sociosexual concreto, era sumamente atrevido. Según Moi, la importancia de Millet como crítica literaria radica sobre todo en su «defensa implacable del derecho del lector a proponer su propia lectura, rechazando la jerarquía establecida entre texto y lector [...]. Su actitud destruye la imagen clásica del lector/crítico como receptor pasivo/femenino del discurso *autor*itario» (p. 25).

Al otro lado del Atlántico los sucesos de mayo de 1968, como las protestas contra la guerra de Vietnam en los EE UU, marcaron claramente el fin de una época de contención y pasividad frente a la autoridad tradicional. Esos años de protestas sirvieron para desestabilizar las jerarquías y los discursos establecidos, dando así lugar al resurgimiento del feminismo y de varios otros movimientos contestatarios. En Francia el movimiento para la liberación de la mujer, a pesar de tener muchas facciones, tuvo repercusiones extraordinarias. Dos entidades que nacieron del movimiento —el grupo «politique et psychoanalyse» (1968) y su librería, luego editorial *des femmes* (1973)— tendrían una gran importancia en el fomento y la difusión del pensamiento feminista, influido desde el principio por dos corrientes intelectuales que gozaban de gran interés en Francia, el marxismo y el psicoanálisis. Mientras que en los EE UU la crítica feminista arranca de la publicación de varios libros que arremetían contra ciertas obras, autores y estereotipos concretos, en Francia es más difícil señalar textos fundacionales[3]; en su lugar había grupos

[3] No obstante, en su excelente introducción a una antología de la crítica feminista francesa, *New French Feminisms* (1980. Los nuevos feminismos franceses), Elaine

intelectuales que publicaban manifiestos, artículos, números especiales de revistas (en *Tel quel, Les temps modernes*) y periódicos (*Questions féministes*). En gran medida, como veremos, esta disyuntiva sigue vigente; en el mundo angloparlante se siguen investigando textos, autores/as y temas concretos, mientras que en el francoparlante se sigue elaborando teoría sobre la feminidad y la escritura femenina.

A lo largo de la década del setenta, el entusiasmo de esos primeros años fue institucionalizándose en los EE UU, ligado con un sensible aumento en la cantidad de mujeres en el profesorado y en el ámbito editorial. Las primeras investigaciones y cursos universitarios que respondieron al creciente interés de las mujeres por estudiar su propia historia —cursos heterodoxos cuya existencia también reflejaba un cambio de actitud por parte de los poseedores del poder— trataban «la imagen de la mujer en la literatura» (o en los medios o en la crítica). La «literatura» era todavía las obras de las grandes figuras (masculinas), las *autor*idades —tal como lo había sido para Ellman y Millet— pero las lecturas ya no eran «pasivas» ni del todo tradicionales. Sin embargo, no enfocaban a la mujer como sujeto sino como objeto; víctima, si se quiere, de una representación más o menos fiel. En los primeros años, además, esta escuela pecaba de una gran ingenuidad respecto de la ontología del texto literario: se valoraban las obras con protagonistas fuertes, y se criticaban las obras cuyas figuras femeninas no se consideraban auténticas, fieles a la realidad que las lectoras habían experimentado. Moi señala acertadamente los defectos de un enfoque tal, que privilegia la referencialidad en detrimento de otras cualidades literarias: «Tal insistencia en la autenticidad no sólo convierte toda literatura en unas formas simplistas de autobiografía, sino que elimina por inadecuada la mayoría de la literatura mundial» (p. 46). Es además ignorar que «lo real no sólo es una fabricación nuestra, sino que es una fabricación controvertida» (p. 45). Elaine Showalter considera que este tipo de aproximación al texto constituye uno de los dos «modos» fundamentales de la crítica feminista, y lo denomina «la lectura feminista». «Este modo es ideológico; se trata de la feminista como *lectora,* y ofrece una lectura feminista de textos que considera las imágenes

Marks e Isabelle de Courtivron señalan la importancia en sendos momentos del movimiento de dos textos: *Les guérillères* (1969) de Monique Wittig y «Le rire de le méduse» (1975) de Hélène Cixous. El libro de Marks y Courtivron ha contribuido decisivamente a la difusión del pensamiento francés entre las críticas norteamericanas.

y estereotipos de la mujer en la literatura, los conceptos erróneos de la mujer o su omisión de la crítica, y el signo de la mujer en los sistemas semióticos» («Feminist...», p. 245).

El auge de la variante ingenua y/o normativa de este modo de crítica fue breve. Aunque se sigue analizando la imbricación de la mujer en el discurso literario masculino, la complejidad del aparato crítico empleado hace que los estudios actuales sólo se parezcan remotamente a sus antecesores. Cabría destacar aquí como modelos los agudos y elegantes estudios estructuralistas de Nancy Miller sobre la novela feminocéntrica (o sea con protagonista femenina) del siglo XVIII en Inglaterra y Francia. En *The Heroine's Text* (1980. El texto de la heroína), Miller sostiene que la codificación de lo femenino propuesta por la cultura —codificación que se puede apreciar al ver las máximas que privan— se refleja fielmente en la estructura y la temática de las novelas feminocéntricas de ese momento. Sus heroínas o se atienen a las máximas contemporáneas sobre la conducta femenina o pagan las consecuencias: «el texto de la heroína [...] no es más que la inscripción de un destino femenino, la ficcionalización de lo que se considera lo femenino en un momento cultural dado» (p. X). En un artículo ya clásico, «Emphasis Added: Plots and Plausibilities in Women's Fiction» (1981. «El énfasis añadido: las tramas y la verosimilitud en la narrativa femenina»), Miller se suma a la otra gran corriente de la crítica feminista, la que enfoca la literatura escrita por mujeres. Encuentra que la narrativa escrita por mujeres (en Francia e Inglaterra, siglo XVIII) ha sido malinterpretada por los críticos porque ejemplifica máximas *femeninas,* desconocidas por los críticos.

Desde mediados de la década del setenta es la investigación de la literatura femenina lo que ha predominado entre las estudiosas feministas. Showalter denomina esta práctica la «ginocrítica», y la contrasta con la «lectura feminista»: «este segundo modo [...] es el estudio de las mujeres *como escritoras,* y sus materias son la historia, los estilos, los temas, los géneros y las estructuras de la escritura femenina; la psicodinámica de la creatividad femenina; la trayectoria de la carrera femenina, ora individual ora colectiva; y la evolución y las normas de una tradición literaria femenina» («Feminist...», p. 218).

El afianzamiento de esta aproximación al texto femenino se puede apreciar al mirar una lista de los libros claves de la década del setenta, comenzando con *The Female Imagination* (1975. *La imagina-*

ción femenina) de Patricia Meyer Spacks. Basándose en algunas obras célebres de escritoras conocidas (George Eliot, Virginia Woolf, las Brontë, Anaïs Nin, Louisa May Alcott, Mary McCarthy, Sylvia Plath, Doris Lessing, etc.), Spacks intenta encontrar «el punto de vista especial de la mujer», fijar «con qué frecuencia las historias contadas por las mujeres toman formas dictadas por los mismos pocos temas bien definidos —temas que si no son universales sí son extendidos en la experiencia femenina» (p. 5). En 1976, Ellen Moers publica *Literary Women: the Great Writers* (Mujeres literarias: las grandes escritoras), un primer intento de trazar una historia literaria femenina, indagando las conexiones e influencias entre «las grandes escritoras» (anglonorteamericanas y francesas). Para Moers, la literatura de mujer es «una corriente rápida y poderosa» que fluye al lado del caudal central de la tradición masculina hegemónica.

Un año más tarde aparece *A Literature of Their Own* (1977. Una literatura propia) de Elaine Showalter que se propone «describir la tradición literaria femenina en la novela inglesa desde la generación de las Brontë hasta la actualidad» (p. 11). No se ciñe exclusivamente a «las grandes escritoras» —denominación o concepto harto sospechosa/o— sino que se esfuerza por encontrar e incluir voces femeninas otrora famosas y seguramente influyentes pero después «perdidas». Esta especie de arqueología constituye una de las principales tareas de la ginocrítica de hoy; recuperar las voces perdidas es un primer e imprescindible paso para la eventual revisión de la historia literaria. Enfrentada como todas las críticas feministas de entonces con la resistencia, por parte de los árbitros tradicionales de la literatura, a creer en la existencia de una literatura específicamente femenina, Showalter zanja la cuestión al definir a las mujeres como una «subcultura», un grupo que ha vivido subordinado al grupo detentador del poder. Ya que las subculturas comparten no sólo «una serie de opiniones, prejuicios, gustos y valores impuestos en ellos para perpetuar su subordinación», sino también unos «hábitos de vida» típicos de un grupo que se reconoce distinto del dominante (p. 14), no es de extrañar que sus escritos codifiquen/manifiesten algunas diferencias respecto de la literatura hegemónica. Es importante notar que Showalter se ha servido de conceptos desarrollados por investigadores feministas de otras áreas —antropología, sociología e historia— para intentar explicar el hecho textual, una práctica cada vez más generalizada entre las críticas feministas norteamericanas.

Al sostener Showalter que las particularidades de la literatura femenina son achacables a (o surgen de) factores sociales y culturales, marca una diferencia fundamental con la posición que hoy llamaríamos «esencialista» de Moers. Dice Showalter: «La idea de "una imaginación femenina" me inquieta. La teoría de una sensibilidad femenina que se revela en imágenes y formas específicas a la mujer se aproxima peligrosamente a los viejos estereotipos. También sugiere permanencia, una profunda e inevitable diferencia básica entre hombre y mujer en su manera de ver el mundo. Yo creo en cambio que la tradición literaria femenina viene de las relaciones todavía en estado de evolución entre la escritora y su sociedad» (p. 12). La polémica librada aquí entre «esencialistas» y «contextualistas/deterministas» se mantiene encarnizadamente en la crítica feminista.

En 1979, Sandra Gilbert y Susan Gubar publicaron un libro que hizo época en la ginocrítica, *The Madwoman in the Attic* (La loca en el desván), un estudio de «la escritora y la imaginación literaria del siglo XIX». Es un libro extraordinario por varias razones: por su extensión (más de 700 páginas); por la gracia e ingenio de su lenguaje; por la minuciosidad de su aparato crítico; por la fuerza y amplitud de sus conclusiones. Impresionadas por la semejanza de temas e imágenes que encontraron en la literatura de mujeres «geográfica, histórica y psicológicamente» lejanas entre sí (aunque eran todas de habla inglesa, lo cual supone muchas afinidades lingüísticas y culturales), Gilbert y Gubar decidieron indagar el porqué. Para ellas, es el resultado de dos factores: la posición social de esas mujeres dentro del patriarcado capitalista, donde el hombre poseía toda *autor*idad y control de la palabra; y la literatura que ellas leían, que racionalizaba los patrones sociosexuales que veían a su alrededor. Una mujer que escribe en una cultura que le encomienda el silencio padece sentimientos de culpa, de ansiedad, de profundo malestar, todos los cuales Gilbert y Gubar encuentran codificados o simbolizados en los temas y las imágenes de la literatura de mujer. Escribir dentro de una tradición literaria donde la mujer es un ángel (sumisa, doméstica, callada) o un monstruo (desbocada, insumisa, pública) también afecta a la forma y contenido de sus escritos. Buscando la aprobación de sus superiores, escriben obras que parecen apoyar la ideología patriarcal. Al mismo tiempo, buscando encontrarse o expresarse a sí mismas, tal como se perciben en toda su complejidad no estereotipada, escriben un subtexto, codifican subrepticiamente/duplícitamente otra historia dentro de esta obra. La literatura de la mujer, entonces, es palimpséstica; debajo de esas historias, temas e imágenes superficiales hay otros donde la artista se preocupa por pintar (encodificándolo) el verdadero y lamentable estado de la mujer en la cultura patriarcal. La loca en el desván es un personaje tipo en la narrativa femenina del siglo XIX; para Gilbert y Gubar esta figura —junto con otras monstruosas— representa el lado insumiso, rebelde de la escritora misma: «Es de alguna manera el doble de la escritora, una imagen de su propia ansiedad e ira» (p. 78) y el portavoz de un mensaje subversivo de la cultura patriarcal. «Toda esta escritura femenina es a la vez revisionista y revolucionaria, aun cuando está escrita por escritoras que parecen dechados de abnegación angelical» (p. 80). *Madwoman...* incurre en un grave pero elemental error crítico al identificar a la escritora con sus personajes ficticios. Aseverar tal cosa es dar la razón a todos los críticos que suponen que la escritora, a diferencia del escritor, no tiene suficiente imaginación como para inventar nada, que todo lo que escribe es autobiográfico. A pesar de este fallo, la acogida del libro con su sugestivo paradigma para la interpretación o descodificación de varios temas o imágenes femeninos ha sido amplia y entusiasta.

Otros libros, artículos, revistas y congresos académicos, muchos de ellos interdisciplinarios, contribuyeron también al desarrollo de la ginocrítica en esos años de afianzamiento. En un sistema universitario donde la especialización es la norma, el carácter interdisciplinario de los estudios de la mujer ha sido distintivo. «La ginocrítica comienza [...] cuando nos liberamos de los absolutos lineales de la historia literaria masculina, cuando dejamos de intentar hacer encajar a las mujeres entre las líneas de la tradición masculina, y cuando en su lugar nos enfocamos en el mundo recién descubierto de la cultura femenina [...]. La ginocrítica está relacionada con la investigación feminista en historia, antropología, psicología y sociología, todas las cuales han elaborado hipótesis sobre la existencia de una subcultura femenina que incluye no sólo el estatus imputado y las pautas internalizadas de la feminidad, sino también los trabajos, las interacciones y la conciencia de la mujer» (Showalter, «Toward...», p. 131). Algunos de los libros y artículos importantes en ese sentido son: *The Mermaid and the Minotaur* (1976. La sirena y el minotauro) de Dorothy Dinnerstein, en el cual se aboga por una superación del encasillamiento sexual que nos vuelve medio monstruos a todos (sobre todo a través de la entrega exclusiva de las tareas de la crianza en manos de la mujer) y *Language and Woman's Place* (1975. *El lenguaje y el lugar de la mujer*) de Robin Lakoff, un estudio poco riguroso pero sugestivo sobre el idiolecto femenino, superado por una colección de ensayos, *Language and Sex: Difference and Dominance* (1975. El lenguaje y el sexo: diferencia y dominación) compilado por Barrie Thorne y Nancy Henley; el artículo de Gayle Rubin, «The Traffic in Women: Notes on the "Political Economy" of Sex» (1975. El tráfico de mujeres: apuntes sobre la «economía política» del sexo), donde utilizando las teorías de Marx, Freud, Lévi-Strauss y Lacan, Rubin traza el desarrollo del sistema sociocultural que denomina «de sexo/género»; «Is Female to Male as Nature is to Culture?» (1974. ¿Lo femenino es a lo masculino lo que la naturaleza es a la cultura?) donde Sherry Ortner explica que si se considera casi universalmente que la mujer está más ligada a la naturaleza (y por ende más primitiva, menos capaz de raciocinio, etc.) es 1) porque su cuerpo y sus funciones reproductoras la mantienen más en contacto con la «vida o sobrevivencia de la especie», a causa de lo cual, 2) se la relega a roles sociales que se *juzgan* de un nivel cultural inferior al del hombre, y 3) estos roles impuestos le han creado unas estructuras psíquicas también consideradas más cerca de la naturaleza. Otra teórica de mucha repercusión, Nancy Chodorow, quien trabaja dentro de un modelo psicoanalítico al que se denomina *«object relations»* (relaciones entre los objetos), ha postulado que las distintas estructuras psíquicas del hombre y de la mujer se deben a la radical diferencia de su experiencia edípica. Mientras que las niñas pueden seguir identificándose con su primer amor, la madre, el niño tiene que construirse en-contra-de esa imagen querida. La ruptura afectiva y psíquica que esto supone lleva al niño a definirse en-diferencia, en-competencia, y a establecer fronteras del yo rígidas, mientras que la niña se define en-relación y tiene las fronteras del yo más flexibles, más porosas, menos definidas. Los valores cooperativos de la niña, descritos por Carol Gilligan (*In a Different Voice,* 1982. En otra voz) se contrastan con los competitivos e individualistas de los niños.

Durante esos mismos años, en Gran Bretaña, las investigaciones feministas se estaban desarrollando en gran medida fuera de las universidades tradicionales, en colectivos, en editoriales, en el periodismo y en las artes. La orientación intelectual de mucha de su crítica ha sido socialista o marxista, dedicada a estudiar los mecanismos de la producción literaria y su relación con la ideología, incorporando el elemento de clase al análisis de la posición de la mujer (una saludable corrección del ingenuo elitismo de las norteamericanas y muchas francesas). Las investigaciones de Mary Jacobus, Rosalind Coward, Annette Kuhn, Juliet Mitchell, Terry Lovell, Cora Kaplan, Janet Wolff y Michèle Barrett, para citar algunos nombres destacados, no se han limitado a la literatura sino que abarcan el cine, la cultura popular y los medios de comunicación de masas (Louis Althusser ha sido una fuente importante para esta crítica). Maggie Humm ha comparado la crítica feminista norteamericana y la inglesa y encuentra que las norteamericanas privilegian el individualismo; con su formación lingüística y retórica tienden a considerar el texto individual como la respuesta de la escritora a circunstancias (literarias, políticas, existenciales) adversas. Las británicas prefieren ubicar el discurso significante —literario, cinematográfico, etc.— dentro de un contexto sociohistórico más amplio, y ver cómo se relaciona con la cotidianeidad de la mujer. El texto producido es un documento acerca de una *opresión* generalizada de la mujer, escrita desde una posición política precisa, y no una *expresión* individual contestataria, como lo es para las norteamericanas. Humm concluye que los dos enfoques reflejan demasiado fielmente la práctica crítica —patriarcal— de su país de origen, y que debieran ser combinados para desafiar con mayor efectividad el androcentrismo que predomina en los estudios literarios.

Mientras que en los Estados Unidos la ginocrítica se estaba desarrollando en contacto con otras disciplinas más empíricas y se interesaba por el descubrimiento y la interpretación de textos y contextos concretos, y mientras que en Gran Bretaña se estudiaban las condiciones materiales que afectaban la producción y el consumo de la cultura, en Francia el pensamiento feminista iba por derroteros muy distintos, más filosóficos. Se proponían nada menos que la definición y deconstrucción de «lo femenino», junto con la descripción y/o producción de lo que llamaban «*l'écriture féminine*» (la escritura femenina). «Se podía decir que en Francia la crítica [literaria] feminista no existe. Sin embargo hay toda suerte de prácticas y de palabras [feministas] impresas: crítica de la filosofía y del psicoanálisis, ensayos sobre la condición social, la prensa, la educación, la sexualidad, la política y también dos antologías de literatura feminista serias [...]. Pero de crítica literaria propiamente dicha no hay nada y todavía menos consideraciones teóricas sobre esta ausencia», escribe Christiane Makward en 1977, comparando la ginocrítica norteamericana con la francesa. A pesar de esta ausencia, el pensamiento feminista francés —sobre todo el de Luce Irigaray, de Hélène Cixous y de Julia Kristeva— ha influido en la ginocrítica empírica norteamericana, especialmente a partir de la publicación de la antología de Marks y Courtivron en 1980. Por esta razón me detendré a analizar algunos de sus postulados y términos más sugestivos.

Formadas en la dialéctica hegeliana, en el materialismo histórico de Marx, en los conceptos psicoanalíticos de Sigmund Freud y de Jacques Lacan, y en el estructuralismo tanto lingüístico como antropológico, alertas frente al logocentrismo del mundo occidental, las teóricas francesas emprendieron su lucha por la liberación en el mundo de la palabra, donde se forjan los significados y las insignificancias. Se ven sistemáticamente marginadas por el discurso hegemónico; objetos y nunca sujetos de la enunciación; circuladas como monedas en el sistema capitalista patriarcal; signos, representaciones del deseo masculino. Irigaray y otras, basándose en conceptos psicoanalíticos y deconstruccionistas, plantean que tanto el sistema de representación (donde lo que *se ve* se considera lo real) como la lengua son isomórficos con el sexo masculino, son falocéntricos: se arrogan «el privilegio de unidad, la forma del yo, de lo visible, de lo specularizable, de la erección» (citado en Burke, «Irigaray...», p. 289). Por su identificación con lo masculino y con la unidad de representación que es su característica —la identidad— la lengua y la lógica de Occidente no pueden «traducir» o reproducir el deseo femenino, porque éste no es único ni clausurado, sino múltiple. La misma linealidad del discurso falocéntrico —su teleológico principio, medio, fin que lo estructura todo, desde la oración hasta la obra literaria y hasta su recepción crítica, como demuestra Susan Winnett, reproduce la morfología del deseo masculino: sujeto/presentación (erección) → verbo/complicación (penetración) → objeto/desenlace (orgasmo) → fin. La mujer con su placer sexual difuso, «excesivo» (superfluo respecto de la producción), infinito —descrito en términos de *«la mère qui jouit»* (la madre que goza: Kristeva), de *«la jouissance féminine»* (el goce femenino), de *«le continent noir»* (el continente negro), de la *«féminité»* (lo femenino)— está *ausente,* invisible o mal representada en tal discurso. Para expresarse necesitaría otra lengua, otra lógica: el *«parler femme»* (hablar mujer: Irigaray) o *«l'écriture féminine»* que podría según la formulación de Cixous (resumida por Michèle Richman) «inscribir el acceso privilegiado de la mujer a la "ante-lengua" [*avant-language*] que ella nunca ha dejado de oír desde dentro; transgredir los límites convencionales de la escritura para liberarla de la tradición de "representación" del escritor masculino "narcisista"; indagar esas áreas de experiencia sistemáticamente excluidas del discurso masculino» (Richman, p. 75). No hay fórmulas para la producción o evaluación de la escritura femenina, porque ésta es precisamente lo que se escapa de la norma(tividad), lo que se expresa en los huecos de la lógica tradicional. Tampoco se supone que sólo puede ser producida por una mujer biológica: Cixous se cuida de no caer en esta trampa de la lógica binaria. Es «una escritura que se dice femenina» o «una feminidad libidinal descifrable que se puede leer en la escritura producida por un hombre o por una mujer» (citado en Moi, p. 108). Kristeva también se niega a conceptualizarlo en términos de un sexo u otro y deconstruye ese binomio junto con muchos otros. Para ella la distinción saussuriana entre lengua y habla no ayuda a la comprensión del fenómeno discursivo. Prefiere hablar de «un sujeto que habla», un sujeto sobredeterminado o condicionado por muchos factores, todos los cuales influyen en su manera de ver y comunicarse. Todos usamos la misma lengua pero desde posiciones distintas y con intereses diferentes; el signo es entonces polisémico, no unívoco (no falomórfico, no idéntico) porque puede expresar esas diferencias.

Estas teóricas comparten el deseo de deconstruir el sistema binómico puesto en evidencia o entronizado por los estructuralistas; postulan con Derrida que no hay un solo significado transcendente que dé razón a todo el sistema (Dios; el autor de un texto; el falo). No aceptan la teoría de que todo cobre sentido por relación estructural con su opuesto (que «lo femenino» se entienda como el opuesto de «lo masculino») porque estas oposiciones binarias son siempre jerárquicas: el primer término es siempre el privilegiado; el segundo, secundario, menos, inferior. Para Derrida el significado está producido por una serie infinita de relaciones y comparaciones, o sea está produciéndose siempre sin término posible; (alcanzar) el «verdadero» significado está siempre «diferido» en otra comparación, en otra «diferencia» (y no oposición). La mujer no debe entenderse como el opuesto del hombre, sino como *diferente,* infinitamente. No es difícil de entender por qué la crítica feminista francesa ha producido pocas obras de ginocrítica tal como se entiende dentro de la tradición anglonorteamericana. Ha sido pródiga en conceptos teóricos que pueden ayudar a la crítica literaria a plantear sus investigaciones en un terreno no del todo colonizado, o en todo caso a estar consciente de las trampas en el terreno (lingüístico, discursivo) que le ha sido cedido. Junto con su incitación a *«la prise de la parole»* (la toma de la palabra), el feminismo francés nos ha enseñado a deconstruir y a poner en tela de juicio, a desmitificar, todos los idealismos trascendentes, junto con las ideas represoras de la distancia crítica (la objetividad), de la autoridad, de la dominación (véase Burke, p. 302). De ese mismo impulso deconstructivo vienen sus frecuentes juegos de palabras que representan/actualizan una de(con)strucción de lo autorizado por la lengua. Por otra parte, la indefinición de esa «escritura femenina» y su aproximación a una posición «esencialista» han sido criticadas, y con razón. Irigaray puede reivindicar un «parler femme» que reproduce el goce sexual femenino, la *jouissance*, de esta manera:

> En sus declaraciones —cuando se atreve a hablar en voz alta— la mujer vuelve a tocarse una y otra vez. Apenas separa de sí misma unas palabras, una exclamación, un medio secreto, una oración a medio terminar [...]. Cuando vuelve a esto, es para lanzarse desde otro punto de placer o de dolor. Hay que escucharla de manera diferente para oír el *«otro significado» que se está tejiendo constantemente a la vez que está abrazando palabras sin cesar y sin embargo rechazándolas para no dejarse fijar, inmovilizar*. Porque cuando «ella» dice algo ya no es idéntico a lo que quiere decir. [De «Ce sexe qui n'en est pas un», citado en Marks y Courtivron, p. 103].

Pero tal descripción suena incómodamente parecida a las declaraciones de un José María Pemán sobre el estilo de la mujer:

> Suelen tener las mujeres fama de ser poco escrupulosas en materia de ortografía [...], son [...] expeditivas y realistas. Tienden a la ortografía fonética [...]. Eliminan embarazos y residuos etimológicos como apartan las sillas que estorban, en sus correrías por la casa, poniendo orden y limpieza. Suprimen las *haches* como suprimirían, por su gusto, las guerras [...]. La sintaxis, lo mismo; toda ella revela sus urgencias realistas y sus centelleos instintivos. Santa Teresa se va del tema central por cada inciso que le sale al encuentro, como una buena ama de casa que va a la cocina, se demora al paso, para enderezar un cuadro torcido. Por eso suelen ser las mujeres tan excelentes en el abandonado y libre estilo epistolar: porque los hombres expresan mejor las ideas, pero las mujeres dicen mejor las cosas [pp. 14-15].

Sin embargo, no hay que insistir en este peligro hasta el punto de negar la enorme contribución de las francesas al diálogo sobre la ontología del texto femenino. Ann Jones resume la deuda norteamericana para con ellas: «Como las francesas, necesitamos examinar las palabras, la sintaxis, los géneros, las actitudes arcaicas y elitistas hacia la lengua y la representación que han limitado el autoconocimiento y la expresión de la mujer durante los largos siglos del patriarcado» (p. 375). Lo que la ginocrítica anglonorteamericana tiene de novedoso en la actualidad es su apertura hacia la teoría no empírica (incluyendo en primer término el psicoanálisis) y esto se debe en gran medida al aporte de los teóricos y teóricas franceses y francesas.

«Tanto la sexualidad como la textualidad dependen de la diferencia». Así comienza la introducción de Elizabeth Abel a *Writing and Sexual Difference* (1982. La escritura y la diferencia sexual), una colección de ensayos de crítica feminista harto representativos de la práctica actual. Con el uso de la palabra «diferencia», Abel señala la presencia, en el seno de esta crítica, de (lo nunca mencionado) Jacques Derrida y del proyeco deconstruccionista. Porque si hay algo que distingue «este momento de la indagación feminista» (Abel) de su primera década es precisamente su decantamiento hacia la teoría. Y la teoría en estos momentos posestructuralistas tiene una gran deuda con Derrida, como se verá más adelante. A pesar de que tales proyectos arqueológico-historiográficos y hermenéuticos centrados en obras y escritoras concretas no han sido agotados ni completados, muchas estudiosas han abandonado (¿temporariamente?) estos campos para ir a espigar en otros. Abel así describe el cambio:

Conscientes de que las escritoras inevitablemente trabajan dentro de una historia literaria y un sistema de convenciones formados mayoritariamente por hombres, las actuales críticas feministas intentan a menudo dilucidar los actos de revisión, apropiación y subversión que constituyen el texto femenino. El análisis del talento femenino luchando cuerpo a cuerpo con la tradición masculina traduce la diferencia sexual en diferencias literarias relacionadas con el género, la estructura, la voz y la trama.

Esta preocupación por las convenciones textuales disipa una letanía de conocidas acusaciones [hechas a la crítica feminista]: reduccionismo, dogmatismo, insensibilidad a los valores literarios [...]. Esta perspectiva literaria más aguda también ha vuelto a despertar interés en los textos masculinos, enfocados ahora menos como documentos de sexismo que como interpretaciones ingeniosas de la diferencia sexual [...].

Esta lectura tan refinada puede ganar para la crítica feminista, aunque tardíamente, una posición más cercana a la corriente principal de la crítica. Puede también generar una letanía de acusaciones nuevas: que una preocupación con la textualidad augura una vuelta al formalismo; que las críticas feministas han traicionado el compromiso político para ganar la credibilidad académica [pp. 1-2].

Jane Gallop nota que el lenguaje mismo de este planteo muestra que la relación de la crítica feminista con estas dos autoridades —la política y la académica— es «estructuralmente idéntica. Como la niña cuyos padres tienen valores distintos, está envuelta en un acto de equilibrismo, intentando evitar la desaprobación de los dos lados» («Reading...», p. 290).

En una crítica decantada hacia la teoría es natural encontrar hoy día las huellas de Derrida, con su deconstrucción de la unidad y del significado último del texto. A su lado se encuentra Lacan, que ha llevado a cabo una análoga deconstrucción del yo, del sujeto —léase autor/a o lector/a— que no es nunca una totalidad sino un cruce de muchas funciones, el lugar donde se realizan varias relaciones: «el sujeto es lo que no es». Como tal, el/la autor/a no puede ser nunca el origen unitario que autorice una lectura dada de su texto. Tanto él/ella como sus textos son tejidos cuya textura es una combinación de lo presente y lo ausente. En términos prácticos, estos postulados propician una lectura de los silencios o huecos del texto; de sus diferencias respecto de lo tradicional/canónico/masculino. Demostrando la falsedad de las jerarquías centro/periferia, importante/insignificante, masculino/femenino, estimulan el análisis ex-céntrico: de lo marginado, de lo ínfimo, de lo idiosincrático, o sea, de lo «femenino».

En un ambiente intelectual como el de los EE UU donde las aproximaciones críticas son cada vez más numerosas y especializadas, sólo quisiera mencionar dos de las más recientes que han suscitado interés entre las feministas [4]. La psicoanalítica, sobre todo lacaniana, ocupa un lugar importante entre las estudiosas que se dedican a la literatura francesa o comparada: Shoshana Felman, Jane Gallop, Naomi Schor. Gallop escribe que la publicación del libro *The (M)other Tongue* (1985. La lengua otra/materna), compilado por Shirley Garner y otras, señala la madurez de la crítica psicoanalítica feminista en los EE UU. En su estado actual ésta combina las teorías feministas y psicoanalíticas de Irigaray, Cixous y Kristeva —influi-

[4] Mención aparte merecen dos estudiosas que investigan arquetipos femeninos en la literatura y el arte: Annis Pratt y Estella Lauter.

das por Lacan y por ende «paternocéntricas»— con el psicoanálisis «maternocéntrico» de Chodorow, basado en estudios empíricos de la díada madre-criatura («Reading...», p. 316).

La teoría de la recepción provee otro campo prometedor para un enfoque feminista, porque si no cabe hablar de un escritor generalizado, sin distinción de género, tampoco se puede postular que haya lectores indiferenciados. Algunas de las preguntas que este enfoque plantea son: ¿Cómo descodifica un texto literario la mujer? ¿Genera resistencias o simpatías peculiares al texto que se puedan analizar? Si se supone que el texto sólo existe en cuanto un/a lector/a lo «realiza», o sea lee y asiente a sus propuestas, ¿puede una lectora realizar un texto cuyos postulados sexistas no comparte? ¿Puede, en otras palabras, con-formar y a la vez resistir? (Fetterley; Flynn y Schweickart). Carolyn Allen escribe que cuando «la polvareda levantada por la pelea caiga, cuando hayamos terminado de describir el lector implícito, inscrito, verdadero e ideal», la mayoría de los críticos estarán de acuerdo en que el/la lector/a «tiene un papel [que desempeñar] en la determinación del significado del texto. Entonces las preguntas para las críticas feministas serán: ¿la mujer y el hombre crean significados distintos? ¿Crean significados de manera distinta?» (p. 301). Señala Allen que Judith Gardiner, en su excelente artículo «On Female Identity and Writing by Women» (1982. Sobre el ser femenino y la escritura de mujer), afirma que así es. Basándose en las teorías de Chodorow sobre las diferentes estructuras de personalidad del hombre y la mujer, Gardiner concluye que, a diferencia del escritor, la escritora no establece barreras infranqueables entre su propio yo y su personaje, una actitud que Gardiner resume con una metáfora: «la heroína es la hija de su autora». «Esta metáfora maternal [...] indica una relación análoga entre la lectora y el personaje» (p. 179), porque las dos experimentan alternativamente sentimientos de identificación y separación de los personajes. «Tanto la escritora como la lectora pueden relacionarse con el texto como si fuera una persona con quien una podría estar o bien fundida empáticamente o bien separada, individuada» (pp. 187-88).

Con esta postura el círculo se cierra y la crítica feminista llega otra vez a un punto de partida, esencialista, que va a ser difícil de superar. ¿Es la «naturaleza» de la mujer —definida ingenua o ingeniosamente, sea biológica o psicológica— lo que indefectiblemente determina su manera de escribir y/o leer? Aunque se reivindiquen los valores de tal «naturaleza» —el impulso hacia la identificación es mejor que el impulso hacia la diferenciación/distanciación y la competencia, etc.—, basar en ella una teoría de la creatividad es peligroso siempre. La otra tendencia de la crítica feminista —fundar la «diferencia» en un contexto estratificador social, cultural, histórico, etc.— incurre en otro riesgo, el de negar la ontología del texto literario, una ficción dentro de una red (y no una línea) de ficciones, una palabra sobre otra.

A los veinte años de sus comienzos, la ginocrítica se encuentra hoy en un mundo cuyas reglas, cánones y «verdades» ha ayudado a modificar. Mientras que los medios de comunicación y la industria editorial repiten que ya no hay interés en los temas feministas, que lo de la mujer ya «no vende», esto parecería ser una mera expresión de anhelos o una proyección de su propia volubilidad. No hay que negar el poder que tienen estos sectores para convertir su verdad en la verdad, pero frente al entusiasmo y seriedad de tantas estudiosas, estudiantes, simpatizantes y socias de lo femenino, tampoco cabe desanimarse.

La crítica feminista de la literatura española está relativamente poco desarrollada dentro de España, debido a la represión política del feminismo en su primera etapa (véase Levine y Waldman) y, después, a presiones ora políticas ora materiales. La universidad, masificada, en continuo proceso de reorganización y con insuficientes recursos para propiciar la investigación, no ha podido ejercer un liderazgo al estilo norteamericano en este sentido, aunque dentro de las facultades más liberales y abiertas al exterior —historia, sociología, ciencias económicas, psicología, lingüística, por ejemplo— el trabajo feminista que se ha hecho, a pulso en la mayoría de los casos, es impresionante [5]. Cuando en la década del setenta se produjo el llamado *boom* de la literatura femenina —narrativa, principalmente, de Montserrat Roig, Rosa Montero, Carme Riera, Esther Tus-

[5] Unos cuantos ejemplos son el Seminario de Estudios de la Mujer de la Universidad Autónoma de Madrid, organizado por la socióloga María Ángeles Durán y administrado por la historiadora Pilar Folguera; el Centre d'Investigació Històrica de la Dona de la Universidad de Barcelona, fundado por la historiadora Mary Nash; el Seminario de Estudios de la Mujer de la Universidad del País Vasco, cuyas fundadoras son psicólogas, una asistente social, una maestra, etcétera.

quets, Lourdes Ortiz, Soledad Puértolas y otras— salieron muchos artículos periodísticos sobre la literatura femenina, y también algunos ensayos de interés, aunque demasiado breves, en revistas serias como *Quimera* (Riera, Traba).

En los últimos años, la ginocrítica comienza a hacerse oír más en el ámbito nacional, promovida por una nueva generación de profesoras que empiezan a afianzarse en el sistema educativo, y por sus estudiantes que escriben sus tesis sobre ese campo (véase la bibliografía en Durán y Rey). Hay que destacar también el trabajo de recuperación de escritoras olvidadas hecho por la ya desaparecida editorial LaSal, con la serie «Clàssiques catalanes», a cargo de Isabel Segura. Por suerte, Segura ha logrado que otra editorial, Edicions de l'Eixample, acoja la serie, que sigue bajo su dirección. La editorial madrileña Castalia ha iniciado otra serie para recuperar obras literarias de escritoras españolas en lengua castellana.

En 1984, el Seminario de Estudios de la Mujer de la Universidad Autónoma de Madrid convocó unas Jornadas de Investigación dedicadas a la literatura. En el prólogo a las Actas, *Literatura y vida cotidiana* (Durán y Rey), María Ángeles Durán precisa que esas Jornadas «no tuvieron intención de "reconocimiento", de "aceptación". Su finalidad fue la de servir como lugar de encuentro, de discusión y —sobre todo— de apoyo a futuras investigaciones: si se nos permite la metáfora, se buscaba una cosecha de calidad para replantar y favorecer su crecimiento en tierras nuevas» (p. 13). Durán señala varias zonas donde ni siquiera se ha comenzado la investigación que sería necesaria para definir importantes aspectos de la relación literatura/mujer. La sociología de la mujer ecritora/lectora-oidora está prácticamente sin hacer[6]. Mirando los trabajos publicados en las Actas, se puede tener una idea del estado de la ginocrítica en España. La mayoría de las ponencias que son crítica literaria y no sociológica pertenecen a la categoría «imágenes de la mujer» en obras masculinas: en Séneca, en la narrativa breve medieval, en la lírica de los trovadores catalano-occitanos, en Lope de Vega, en Gracián, en Clarín, en Blasco Ibáñez. Hay tres ponencias que enfocan las mismas imágenes en textos femeninos, emprendiendo a la vez una rehabilitación de las escritoras estudiadas: María de Zayas, Fernán Caballero y escritoras españolas

[6] Jean Franco coincide con esta evaluación en su valioso artículo sobre las oportunidades para estudios de la mujer en el mundo hispánico, sugiriendo además muchas otras áreas poco estudiadas.

del último tercio del siglo XIX. Mar de Fontcuberta presenta una introducción a la ginocrítica norteamericana, y hay dos ponencias que se podrían denominar «temáticas», una de ellas la mía, «Caída-/re(s)puesta: la narrativa femenina de la posguerra» (revisada y republicada aquí), la otra «Feminismo y literatura: la narrativa de los años setenta» (Romero *et al.*). Esta última hace un buen análisis esquemático de la obra de unas escritoras catalanas, pero termina criticando la imagen abúlica que se pinta de la mujer actual y censurando a las autoras por hacer «una literatura autocomplaciente, de lamento y nostalgia [...]. No quieren romper con un pasado que las inmoviliza, no atreviéndose a elegir nuevos caminos tomándose en serio el trabajo, la amistad, o una verdadera independencia basada en ellas mismas, cuestión que parece aterrorizarlas [...]. [C]on mayor o menor fortuna literaria (más bien poca) se nos convierten en *cronistas* cómplices de una época, sin fantasía suficiente para descubrir otro mundo» (pp. 356-57).

Esta censura de la falta de compromiso y creatividad de las escritoras resulta suave en comparación con la de Patricia Gabancho en *La rateta encara escombra l'escaleta* (1982. La ratita sigue barriendo la escalera), el único libro español dedicado de pleno a una crítica feminista de obras literarias. Gabancho también argumenta que las escritoras catalanas actuales han claudicado en su deber, que ella así define: «La literatura de la mujer tiene que plantear nuevos problemas, conflictos abiertos» (p. 63). Tiene además que reflejar la vida «tal como es» (otra vez el reclamo de «autenticidad» comentado arriba) o «el amor tal como lo vivimos hoy» (p. 78) (lo cual es suponer que todas lo vivimos igual). Confunde los personajes literarios con sus autoras, sobre todo en el caso de Montserrat Roig, de quien fue íntima amiga (Nichols, *Escribir...*, pp. 162-63): «Jordi Soteras es el *alter ego* de Roig» (p. 75); «Cuando Montserrat Roig plantea la im/posibilidad de las relaciones de pareja hace que un personaje [...] le conteste [...]» (p. 106). «En la novela femenina actual, la identificación autora-personaje está llevada, en algunos casos, hasta extremos casi militantes» (p. 144).

Al mismo tiempo se queja de que las escritoras no se basen más en sus propias experiencias a la hora de escribir. «En nuestra literatura la vida rezuma en la poesía que está muy cerca de la experiencia de la autora. Y que es, por esto mismo, más renovadora, más real y con aportaciones concretas. La novela todavía no ha llegado al punto en que la vida de la autora se hace literatura y salta la barrera de lo tópico para ser una aportación consecuente, envuelta en tanta imaginación como se quiera» (p. 116).

Desde el punto de vista de la crítica literaria no es lícito exigir que el/la escritor/a de ficción provea modelos positivos que puedan inspirar un cambio de vida en su público; una novela no es una receta (comparación que se me ocurre viendo la sintaxis digámosle culinaria que emplea Gabancho: «ha de ser», «es necesario», «a la literatura femenina [...] le falta una pizca de [...]»). De hecho una crítica donde se privilegia lo político sobre lo literario corre el riesgo de perder muchas estrategias puramente literarias —la ironía o la parodia, por ejemplo— que permiten que el/la autor/a escriba una cosa queriendo dar a entender lo opuesto: pintar una figura «negativa» puede servir para *evocar* su contrafigura, la «positiva» que reclama Gabancho. La literatura imaginativa es un tejido de muchos códigos —algunos insinúan, otros afirman, otros «mienten»— y no puede ser descodificada como si tuviera un solo código, el informativo, como una receta. Volveré a la pregunta suscitada por esta disputa de terrenos, o sea, ¿cómo se puede hacer una crítica que sea a la vez literaria y feminista, «científica» y partidaria?

Dentro de la universidad norteamericana, donde existen un ambiente y una infraestructura que propician la investigación y publicación de estudios sobre temas intelectualmente «legítimos» (sobre todo si están de moda), ha habido una importante producción de ginocrítica sobre la literatura hispánica. Sería demasiado largo detallar los artículos, las ponencias y otras actividades realizadas por estas hispanistas, que en general se ocupan de dilucidar textos concretos utilizando varias aproximaciones críticas, o, a veces, de indagar las coincidencias temáticas de varias escritoras. Se destaca como contribución colectiva de muchos hispanistas a la tarea de reconocer y de recuperar la literatura femenina española, el recientemente publicado *Women Writers of Spain: an Annotated Bio-Bibliographical Guide* (1986. Las escritoras de España: una guía bio-bibliográfica), a cargo de Carolyn Galerstein. Otro libro que realizará la misma tarea con respecto de las escritoras en catalán, gallego y vasco está a punto de ser publicado por la editorial de la Modern Language Association: *Double Minorities of Spain: a Bio-Bibliographical Guide to Women Writers of Catalonia, Galicia, and the Basque Country* (Las escritoras doblemente marginadas de España: una guía biobibliográfica de las escritoras de Cataluña, de Galicia y del País Vasco), compilado por Kathleen McNerney y Cristina Enríquez de Salamanca.

En 1978, Janet Pérez editó una colección de ensayos centrados en la escritora española —*Novelistas femeninas de la postguerra española*— pero en su mayoría los artículos no son feministas en su orientación. En cambio, el libro de Pérez, *Contemporary Women Writers of Spain* (1988), da un primer paso muy importante en la presentación a un público no especializado de un grupo nutrido de escritoras del siglo XX. En el mismo año, Biruté Ciplijauskaité publicó otro estudio de gran interés, *La novela femenina contemporánea (1970-1985). Hacia una tipología de la narración en primera persona,* donde enfoca la obra de algunas de las escritoras del *boom. Women Novelists in Spain and Spanish America* (1979. Novelistas femeninas de España e Hispanoamérica) de Lucía Fox-Lockert provee una introducción acrítica a algunas escritoras españolas. Beth Miller compiló una colección de ensayos, *Women in Hispanic Literature: Icons and Fallen Idols* (1983. La mujer en la literatura hispánica: iconos e ídolos caídos), la mayoría de los cuales, como el título sugiere, pertenecen a la categoría «imágenes de la mujer» en obras masculinas. Mirella Servodidio y Marcia Welles han compilado una colección de ensayos sobre la obra de Carmen Martín Gaite: *From Fiction to Metafiction: Essays in Honor of Carmen Martín Gaite.* Se han publicado otras tres colecciones de ensayos sobre la literatura femenina hispánica en los EE UU: *Reading for Difference: Feminist Perspectives on Women Novelists of Contemporary Spain* (1987. Leer en búsqueda de la diferencia: perspectivas feministas de novelistas femeninas de la España contemporánea), que es un número especial de la revista *Anales de la Literatura Española Contemporánea* al cuidado de Mirella Servodidio; *In the Feminine Mode: Essays on Hispanic Women Writers* (1988. En el modo femenino: Ensayos sobre escritoras hispánicas), compilado por Noël Valis y Carol Maier; y *Feminine Concerns in Contemporary Spanish Fiction by Women* (1988. Preocupaciones femeninas en la narrativa contemporánea española de mujeres), compilado por Roberto C. Manteiga, Carolyn Galerstein y Kathleen McNerney.

Ahora bien, ¿hasta qué punto son válidas las interpretaciones de textos españoles hechas por críticas extranjeras? En un artículo publicado en *Signs* Linda Chown plantea precisamente esta pregunta tan pertinente en el contexto de nuestro libro. Chown concluye que las exégetas norteamericanas han sido incapaces hasta ahora de deshacerse de sus propios valores etnocéntricos —por ejemplo, juzgar que la actividad pública es superior a la privada; que la soledad es negativa siempre; que el tiempo es lineal y el «progreso» deseable/alcanzable— para poder apreciar los valores propios de una mujer española, entre los cuales Chown señala éstos: la esfera privada es tanto o más importante que la pública; la soledad es necesaria y a veces enriquece; el tiempo es cíclico, el «progreso» quimérico. A causa de esta ceguera, las norteamericanas al menos parecen proponer una lectura que «limita la comprensión de la historia literaria y cultural de la mujer» en España, cuando deberían estar preocupadas por «profundizar y multiplicar nuestra conciencia de la literatura, de la mujer y de la sociedad» (p. 91). A esta observación se podría objetar que en rigor todo/a crítico/a es ajeno/a al/a la creador/a de la obra que comenta, resida la extrañeza en su nacionalidad, su género, su edad o su mismo nombre (tomado como marcador de su identidad). Si por un lado las extranjeras ganan perspectiva con la distancia, por otra pueden perder significados importantes como los señalados por Chown. Es un postulado fundamental de la crítica deconstruccionista que nadie puede ser «objetivo» en sus juicios críticos: es una práctica feminista aclarar cuáles pueden ser nuestras limitaciones o condicionamientos al interpretar un texto.

En consecuencia con este propósito y como prólogo a los ensayos que siguen quisiera señalar algunas convenciones allí acatadas. El puntilloso aparato crítico —decenas de notas al pie, mucha bibliografía— es un *sine qua non* de la crítica literaria «seria» en los EE UU. A veces las feministas, como recién llegadas al foro académico, tendemos a ser más papistas que el Papa en este sentido (¡no vaya a ser que nos tomen por ignorantes!). La presencia de tantas notas puede aminorar el impacto inmediato del ensayo, pero reconocer que existen otras opiniones o enfoques sobre el mismo problema ayuda a des-centrar, des-autorizar un discurso que, al estar impreso en una revista o en un libro especializado, puede parecer apodíctico. A este deseo de no imponerme abatiendo cualquier objeción, responden también las matizaciones que salpican mi lenguaje.

De todos los capítulos, el primero, «Caída...» es el más fácil de seguir porque lo escribí como ponencia (y creo firmemente que la persona que escucha necesita ser guiada ya que, a diferencia de la que lee, si pierde el hilo del argumento no puede volver a consultar lo enunciado). Es un estudio temático, enfocando la imagen de la caída de Eva, repetida con mucha frecuencia en la narrativa estudiada. También aborda la cuestión de la forma narrativa, empleando la distinción formulada por Émile Benveniste entre *historia* o fábula y *discurso* o enunciado, y la práctica crítica desarrollada por Roland Barthes en *S/Z*[7]. Como en todos los ensayos, se tiene muy en cuenta el contexto sociohistórico y cultural que vivían las autoras estudiadas. Esboza las posibles líneas de una tradición literaria femenina, fundada por Laforet y Matute. Ausente de «Caída...» está la gran figura de Mercè Rodoreda, a quien descubrí más tarde, cuando había comenzado a indagar el contexto específicamente catalán que compartían estas escritoras. En otro estudio de conjunto realizado dos años después de éste —«Mitja poma, mitja taronja: Génesis y destino literarios de la catalana contemporánea»— rectifico esta omisión, y al hacerlo modifico la genealogía propuesta: Rodoreda ha ejercido tanta influencia como Matute y Laforet en las dos narradoras en catalán que considero, Roig y Riera. Por otra parte, habiendo ya leído nuevas novelas y cuentos de Tusquets, si tuviera que volver a clasificarla modificaría su inclusión en la generación Roig/Riera; temática e ideológicamente está más cerca de la promoción anterior.

El primer análisis de la ficción de Ana María Matute, «Códigos de exclusión, modos del equívoco», tiene un marcado carácter estructuralista, con sus diagramas y ecuaciones. Empleando un esquema propuesto por Todorov para el análisis de la obra narrativa, intenté dar cuenta de (lo que yo percibía como) la «extrañeza» de *Primera memoria*. Sin embargo, el ensayo es también deconstruccionista, porque comienza por fijarse en un detalle —no en un significado «trascendente»— y sigue privilegiando el detalle —hor-

[7] Esta práctica interpretativa subyace en todos los ensayos, por lo cual la explico brevemente aquí. Barthes reconoce desde el primer momento que un texto narrativo clásico —*legible*— es polisémico; tiene una «pluralidad de significantes, no una estructura de significados» (p. 5). Los significantes pueden ser divididos en cinco grupos, o códigos, según la información que comunican: el *sémico,* o los detalles que ayudan a constituir los personajes, lugares, cosas; el *cultural,* o los datos extratextuales que se necesitan para entender referencias y suposiciones concretas; el *simbólico,* que apunta hacia el significado último del texto; el *proairético*; y el *hermenéutico.* Según Barthes, el «hermeneutismo», otra palabra para el «código hermenéutico», son «los diversos términos [formales] por los cuales un enigma puede ser insinuado, formulado, mantenido en suspenso y por fin explicado» como la «verdad» del texto (p. 19). El deseo por parte del lector de descifrar esta verdad es como una locomotora que le tira o lleva hacia el desenlace de la obra. Asimismo se usa la palabra «proairetismo» o «código proairético» para describir las muchas acciones menores que estructuran el texto: «quien lee el texto acumula datos bajo unos títulos genéricos que describen una acción (paseo, asesinato, reunión), y tal título encarna la secuencia; la secuencia existe cuando y porque se le puede dar un nombre, se desarrolla paralelo a este proceso de denominación, mientras se busca o se confirma un título» (p. 19).

migas, piedrecitas, lagartos, apodos— hasta llegar a algunas conclusiones. En una práctica típica de la ginocrítica (y descrita por Showalter, arriba), eché mano de varios conceptos tomados de la antropología, la lingüística, la sociología y el psicoanálisis para sacar conclusiones sobre este «documento» ficticio de la aculturación de una niña. Si he utilizado dos veces la palabra «conclusiones» al describir «Códigos...» es porque con él —me he dado cuenta después— me propuse zanjar toda posible discusión posterior sobre la novela, explicando en un solo artículo todos sus misterios. Era una lectura falomórfica: única, unificada, definitiva; la novela, esfinge, la sobrevivió.

En «La cárcel (y más allá)» pretendo otra vez una lectura exhaustiva, pero creo que la construcción y el «sentido» de la novela de Tusquets allí enfocada, *El mismo mar de todos los veranos,* invitan a tal propuesta. Publicada en 1978, la novela guarda estrecha relación con el feminismo y el estructuralismo tardío: la autora implícita entiende (y da a entender) su mundo a través de conceptos desarrollados por los dos movimientos. En una entrevista Tusquets me dijo que no lee obras de teoría: «No leo nada de teoría. Soy una pésima lectora de ensayo» (Nichols, *Escribir...,* p. 73). Sin embargo, sea por influencia del «espíritu de la época» o por otra coincidencia, *El mismo mar...* dio mucho de sí cuando le dirigí preguntas feministas o estructuralistas. La idea de analizar la novela y la historia que narra como si fueran oraciones (sintagmas) procede del estructuralismo; estar atenta a las anomalías de esta oración —el distendido paréntesis del *love story*; la naturaleza de este amor— se basa en unos conceptos analíticos del formalista ruso, Shlovski, sobre todo la «desfamiliarización» o extrañamiento (*ostranenie*), donde una cosa familiar está enfocada y descrita de tal manera que parece «nueva» (la descripción que Don Quijote hace de los molinos de viento, los desfamiliariza, por ejemplo). Es un ensayo que puede parecer difícil a primera vista, pero en esta introducción a la ginocrítica ya se han presentado muchas de las teorías que lo subyacen, por lo cual el ensayo puede servir de continuación de la discusión. Uno de los grandes valores de *El mismo mar...* es la lúcida y sentida reflexión que ofrece sobre varios de los temas que más preocupan a las feministas, sobre todo el falologocentrismo que ha condenado a la inferioridad a todo lo que se pueda definir como «otro»: mujer, xarnego, homosexual, moreno, etc.

«La privación en la literatura infantil de Ana María Matute» intenta por un lado reivindicar la importancia de esta literatura considerada por muchos como un producto subliterario; pertenece a la práctica deconstruccionista con respecto de las categorías «autorizadas» o «propias» para el estudio académico. Es un ensayo informativo —supone que la mayoría de sus lectores no conocen esta parte del corpus de Matute— que muestra la radical diferencia que hay entre el sintagma de la narrativa para adultos y el de la infantil. Otra vez, entonces, el punto de partida es estructuralista. Pero al enfocar *lo que falta,* la privación o la ausencia en vez de la presencia, deconstruye y pone en evidencia la oposición implícita y aceptada que fundan estos textos para niños.

«El exilio y el género en Mercè Rodoreda» reivindica una nueva lectura de la literatura de exilio que tome en cuenta «la diferencia», sea de género sea de nacionalidad, etc. Niego que se pueda postular como «universal» la experiencia del exilio de un hombre heterosexual de una cultura dominante; hay que ceder espacio crítico a los doble o triplemente marginados/segregados como lo era Rodoreda —mujer, catalana y desterrada. El ensayo enfoca varios cuentos suyos «sobre» el exilio; utilizando el concepto de Gilbert y Gubar sobre el texto palimpséstico, traza la común historia sumergida debajo de las variadas anécdotas que conforman los cuentos.

«El sexo y la soltera, *mésalliances* en Rodoreda y Laforet» analiza la sorprendente semejanza entre *Aloma* y *La isla y los demonios* y postula que se parecen porque la mujer en la sociedad española del siglo XX tiene una sola historia —vida o novela— que vivir y que contar. Las estrategias analíticas de Nancy Miller, presentes en toda mi crítica, aquí tienen un papel fundamental. Para entender el papel que juega «lo carnavalesco» en estas dos obras que considero aleccionadoras, recurro a la teoría de Mijail Bajtin sobre el carnaval en la literatura. Reviso su teoría para que dé cuenta de diferencias de género, una palabra que se usa a lo largo de este libro para referirse a las diferencias culturales y no biológicas entre los sexos. Concluyo con la formulación de la «máxima» que estas novelas intentan comunicar a sus lectoras.

Mi práctica crítica, como se puede ver, es pluralista. Se ha postulado que un «pluralismo juguetón» es el desiderátum de la crítica feminista (Kolodny); que es necesaria la «colonización feminista» de teorías contemporáneas que dejan de lado consideraciones de género (Jacobus, cit. en Allen, p. 301). Lo cierto es que buscar una teoría o estrategia interpretativa falomórfica —única, unificada y definitiva— está reñido con el propósito deconstruccionista, des-centrador del feminismo; en términos psicoanalíticos Jane Gallop lo resume muy bien: «La infidelidad es una práctica feminista para minar el Nombre-del-padre. La lectura infiel se descarría del/la autor/a, de lo autorizado [...]. A diferencia de tal infidelidad, un sistema, un nuevo sistema, un sistema feminista, uno leal y fiel a los principios y dogmas del feminismo no sería más que otro Nombre-del-padre, el feminismo hecho posición y posesión» (*Daughter's...*, p. 48).

Sin embargo, ser una pluralista crítica no es ser feminista; para ser una crítica literaria feminista hace falta orientar las estrategias de interpretación a fines políticos, reconocer y amplificar las voces sumergidas («sordas» para Showalter), respetar otro (des)orden de significado, privilegiar el detalle juzgado insignificante. Es enseñar a leer lo anómalo, los súbitos silencios en el discurso, los pequeños rotos o descosidos en el tejido; a entender cómo el ser «pasivo» (mujer u otro marginado) disfraza —literariamente— su actividad; el silenciado —literariamente— su grito. Y hacerlo hasta que no sea necesario gritar para que se escuche este susurro que cuenta lo femenino.

2. CAÍDA/RE(S)PUESTA: LA NARRATIVA FEMENINA DE LA POSGUERRA

Entre los estudios monográficos de la narrativa española de la posguerra, son poquísimos y recientes los que se enfocan exclusivamente en la narración femenina[1]. A pesar de la envergadura de escritoras como Rosa Chacel, Mercè Rodoreda, Carmen Laforet, Ana María Matute y Carmen Martín Gaite, y de la importancia actual de Montserrat Roig, Rosa Montero, Carme Riera y Esther Tusquets, autoras de la llamada «novela de la mujer», nadie se ha propuesto investigar la obra en conjunto de estas mujeres con miras a discernir una posible tradición propia. Esta laguna extraña aún más si se considera que la mujer de los años franquistas vivía unas condiciones vitales e intelectuales tan especiales que cabe hablar de ella como una casta aparte. Para las intelectuales que habían empezado a formarse en el ambiente más igualitario de la República, presenciar y sentir en carne propia los efectos de esta «inferiorización», en palabras de Gallego Méndez (p. 11), habrá sido una experiencia lacerante.

Es mi hipótesis de trabajo que la escritora, enfrentada con esta problemática particular, originó un tipo de literatura que puede ser entendida como un intento de explicar y responder a esta nueva realidad. A los efectos de analizar las posibilidades de esa hipótesis, me concentro en seis escritoras cuya producción, tanto por su calidad literaria como por su representatividad dentro del desarrollo de la literatura femenina española, puede ser tomada como punto de

---

La versión original de este capítulo fue leída en las IV Jornadas de Investigación Interdisciplinaria de la Universidad Autónoma de Madrid, y publicada en sus Actas (Durán y Rey).

[1] Dos libros monográficos que se publicaron en 1988 quebraron el silencio anterior; los dos están escritos por mujeres, profesoras en universidades norteamericanas: Biruté Ciplijauskaité y Janet Pérez (véase bibliografía).

partida. Esa producción la divido en dos etapas cuyos límites están dados por razones cronológicas (fecha de nacimiento de las autoras; fecha de publicación de las obras suyas bajo consideración) y por razones temáticas y estilísticas.

Me ocupo aquí más extensamente de la «primera generación» de estas escritoras, representada por Laforet y Matute, porque sus obras conforman la visión del mundo que las epígonas heredaron y contra la cual se rebelaron. *Nada* y *Primera memoria* presentan un mismo mundo degradado y alegan que su deterioro ha sido un efecto, en última instancia, de la debilidad femenina. Así se explica la coincidente disminución de sus protagonistas, que conforme se van haciendo mujeres, más culpa tienen que expiar. La «segunda generación», representada por Riera, Roig y Tusquets, empieza a publicar veinte años después, ya muerto Franco, con un claro sentido de diálogo polémico con la propuesta anterior. En sus novelas, protagonizadas por mujeres adultas a vuelta del amor o del exilio, elaboran un significado común de búsqueda que a pesar de sus diferentes variaciones se resume en un núcleo común de apertura, de rechazo de la idea de la caída culposa típica de la generación anterior. Sirviendo curiosamente de puente entre las dos generaciones está Ana María Moix, quien por su cronología debe de estar en la segunda generación, pero cuya temática y estilística la aproximan más a la primera.

Entre la publicación de *Nada* en 1945 y la de *Primera memoria* en 1960 transcurren quince largos años, a pesar de lo cual hay una asombrosa identidad entre las novelas. Si comparamos la amplia evolución de novelas escritas por hombres y que se consideran claves de esos mismos años —*La familia de Pascual Duarte, La colmena, El Jarama, Tiempo de silencio*— resalta aún más la identidad temática y formal de las escritas por mujeres. Narradas en forma de recuerdos de juventud, *Nada* y *Primera memoria* se estructuran alrededor de una misma propuesta: explicar la verdadera génesis de la doble ruina que vivieron las protagonistas en su adolescencia: la del mundo en torno, escindido por la guerra; y la suya propia, aparente corolario de su maduración.

Empleando un estilo narrativo homologable a la danza de los siete velos, en el cual la «verdad» textual se va desvelando lenta y provocativamente, las dos protagonistas-narradoras dan muchas vueltas antes de llegar a la misma conclusión acerca de su doble pérdida. No asombra esta vez la coincidencia, sin embargo, porque la explicación de su ruina resulta ser una perogrullada, una suerte de «verdad» consabida: a) la mujer tiene la culpa de la ruina del mundo y b) quien la hace la paga. Así lo expone el primer libro del texto sacro de la cultura de estas protagonistas, el Génesis, el mito que al explicar la asimetría de la sociedad judeocristiana la conforma de tal manera de allí en adelante. Con la lógica irrefutable y circular de todo mito sagrado, el Génesis da a entender que la mujer, por ser débil, es condenada a ser el sexo débil. Expulsada del Jardín donde las diferencias entre los sexos pasaban literalmente desapercibidas, es condenada a vivir en exclusiva función de su sexo, pariendo, deseando al hombre y sometiéndose siempre a él. Adán también sufre la pérdida del paraíso, pero gana en recompensa una hegemonía sobre todas las criaturas de la tierra; vive degradado, él también, *ma non troppo*. Desde una perspectiva feminista, la analogía con el Estado español de posguerra no es aquí difícil de percibir[2].

La primera escritora que logró expresar su reacción frente al mundo de posguerra fue Carmen Laforet, con su exitosa y controvertida *Nada*. Dentro de España, algunos juzgaron la novela digna del premio semioficial que era el Nadal, mientras que otros igualmente allegados al régimen, como los editores de *Bibliografía Hispánica* (revista del Instituto Nacional del Libro Español), sentenciaban que «la novela... justifica plenamente el título: "Nada"» (4.12 [dic. de 1945]: p. 704). Fuera de la península, varios exiliados elogiaron a *Nada* como un «testimonio» (Ayala) negativo sobre el régimen; al mismo tiempo la censura oficial, tan hipersensible a cualquier crítica de la patria, no lo vio así. Veremos el porqué de este desacuerdo al analizar por separado la historia y el discurso de *Nada,* portadores de mensajes aparentemente opuestos.

Por un lado, en la medida en que la historia o trama novelesca, con sus imágenes de deterioro social e individual, reflejaba las pésimas condiciones económicas y morales de un país deshecho por la guerra, *Nada* podía leerse como una condena de ese país. Esta lectura daría lo siguiente: Andrea, joven idealista, llega a una Barcelona que no es lo que era antes de la guerra para instalarse en una casa deteriorada en una calle en transición con una familia (lo que queda de la suya) en pleno proceso degenerativo. A medida que

2 Para un análisis pormenorizado del peso de este mito en la obra de estas escritoras y de Mercè Rodoreda, véase asimismo Nichols, «Mitja poma...».

pasa el tiempo, esta huérfana va perdiendo sus ilusiones, su inocencia, sus amigos y su salud. Si en el último momento es salvada de un desenlace trágico por la intervención casi milagrosa de una familia benefactora, esto no es suficiente para borrar de la mente del lector la carga sombría (o sea antipatriótica, según la ideología oficial del optimismo) de las páginas anteriores.

Por otra parte, si analizamos el discurso o enunciado de la novela comprobamos el porqué del juicio favorable de los censores en torno a esta novela. Lejos de ser una novela condenatoria del régimen, *Nada* coincide ideológicamente con el discurso oficial de éste. Los dos discursos, el de la novela y el del régimen, usan el mismo mito del pecado original para explicar —y peor todavía, para justificar— la existencia de un mundo asimétrico, o sea, para estructurar y dar significado a sus respectivas historias. Con identificar y castigar una cabeza de turco, o con poner el sambenito a algún heteróclito, el orden queda asegurado de nuevo. Así, en la Historia nacional «los demonios familiares» del pueblo, según Franco en su discurso de presentación de la Ley Orgánica del Estado (22-11-66), tenían la culpa de su propia caída y la de su pueblo, y tuvieron que pagar las consecuencias. En *Nada* el deterioro familiar también tiene su matriz generadora; descubrir quién es y cuál ha sido su pecado es uno de los dos enigmas estructurantes del texto. El segundo enigma por develar —tras el último velo de la danza narrativa— es cómo llegó la pobre Andrea, recién salida de una escuela de monjas, a compartir la culpa, o por lo menos el castigo. El hermeneutismo, o enigma propio de la narrativa, como lo explica Barthes, «nos lleva desde la formulación de la pregunta hasta su contestación, pasando primero por una serie de dilaciones. Principal entre ellos es la finta, la contestación engañosa, la mentira, lo que denominaremos la trampa» (p. 32), o lo que en lengua menos bélica/masculina yo comparo con la danza de los siete velos.

En *Nada* la protagonista-narradora propone varias contestaciones engañosas al enigma, comenzando con el agente más obvio del estropicio, la guerra civil misma. La destrucción física que ocasionó es lo de menos; mucho peor, por irreparables, son los estragos mentales y morales que la narradora observa en la paradigmática familia de la calle de Aribau. Allí la guerra parecería tener la culpa de todo: desde el comportamiento anormal de Román y de Juan («después de la guerra han quedado un poco mal de los nervios», p. 27) hasta el supuesto enloquecimiento de la abuela: «Con los sufrimientos de la guerra, que aparentemente soportaba tan bien, ha enloquecido» (p. 103). Pero esta explicación de la decadencia de la casa no convence demasiado ni a personajes (pp. 105-06) ni a lectores/as. Otra posibilidad, relacionada a lo menos temporalmente con la guerra, es Gloria, «la serpiente maligna» según Angustias, que ha hecho que la casa no sea «ya lo que ha sido [...] porque antes era como el paraíso y ahora [...]» (p. 102). Esta mujer-serpiente funciona simbólicamente en dos niveles. En el más convencional es pura hembra, y como tal provoca violentos celos entre los hermanos machos y una perpetua discordia entre Angustias y la abuela.

En otro nivel más profundo, Gloria representa la pervivencia en el seno familiar —léase nacional— de los efectos del malhadado empeño histórico de la II República, que pretendía mejorar la situación de las clases bajas. Cegados los dos hermanos —ambos rojos, desde luego— por el fervor igualitario de su gobierno, se dejaron enamorar de una chica del pueblo bajo y luego intentaron elevarla a su propia categoría burguesa. Tal empeño, fuese a nivel nacional o particular, estaba condenado a fracasar; era olvidarse de lo que el régimen franquista vendría a llamar «el destino trascendental de la eterna España»: vivir jerárquica y tradicionalmente, cada cual en su lugar, todo elemento foráneo eliminado o subyugado[3]. Gloria, con su nombre harto irónico, representa varios elementos considerados no-castizos o marginales en la península: es pelirroja, sensual y pragmática o materialista. Las últimas características la marcan, dentro del código nacional español, como catalana con *seny,* diferente de los castellanos místicos y hambrientos tales como sus «parientes políticos», y por ende inasimilable por esa «buena familia» burguesa y castellanoparlante de la calle de Aribau. Debió haber sabido ella guardar su lugar —«pararle los pies» a sus pretendientes, o «tenerlos a raya», como se decía en los años de la posguerra (Martín Gaite, p. 167)— a pesar de las incitaciones de los hermanos/republicanos a subir de clase. Debió haber sabido resistir la propaganda política y

[3] Para Américo Castro, España se ha constituido a partir de la Reconquista amputándose o conquistando todo lo entendido como «ajeno». Juan Goytisolo también entiende la historia española en estos términos, como demuestran sus novelas a partir de *Señas de identidad.* Ha escrito un artículo reivindicando la visión de Américo Castro («Supervivencias...»). Creo que este análisis de una mentalidad «nacional» entrenada para constituirse por medio de la negación de lo diferente puede ser útil a la crítica feminista del hecho español. Podría explicar la *vir*ulencia de la misoginia española, por ejemplo, o la pervivencia de un exagerado dimorfismo sexual.

hasta cultural de esos años: las películas con sus finales felices, las novelas rosas que se vendían barato en todos los quioscos. Pero no lo supo hacer, ni ella ni el bajo pueblo que encarna, sino que se dejó trastornar y acabó por picar demasiado alto, como el mismo Satanás. Ésta es pues otra contestación parcial al enigma de la decadencia de la familia/nación: fue el pecado de soberbia lo que acarreó la ruina; creer, unos tontos idealistas, que podrían cambiar un orden social «perenne»; creer, una catalana miserable, que podría llegar a la altura de sus superiores «naturales».

No hemos llegado todavía a la contestación definitiva del texto acerca de la génesis del mal. Mientras que Gloria, la mujer-serpiente, parecería remontarse al Edén u origen mismo del mal, en rigor hay otra figura que la precedió en el jardín: la abuela. Fue ella la que fundó con su marido un hogar que todos recuerdan como el paraíso: «quizá el olor a tierra [de la calle de Aribau] trajera a mi abuela reminiscencias de algún jardín de otros sitios» (p. 21); «el corazón de un hogar que fue y que nosotros, los demás, hemos perdido» (p. 107); «esta casa [...] antes era como el paraíso» (p. 102). Angustias explica que su madre «ha sido una santa», pero que la guerra, junto con la edad, la debilitaron y que Gloria, «con sus halagos, le ha acabado de trastornar la conciencia». Pero estas únicas pistas acerca de la identidad de la abuela son desmentidas por las continuas descripciones de su abnegación, su piedad y bondad; es el modelo de la santa madre española. La verdad sobre esta madona es tan intragable para la narradora que no la revela sino hasta el último momento. Y es que ha sido el pecado originario de esta santa madre, Eva revieja, lo que ocasionó la degeneración del mundo. Al preferir a un hijo sobre otro, y a los dos varones sobre las hembras, ella sembró el faccionalismo que ha sido la ruina de su casa/nación (pp. 283-84). Estamos frente a una revisión tan misógina del Génesis, mito misógino si lo hay, que es difícil comprenderla: resulta que no fue Dios Padre quien prefirió un sexo sobre otro, ni luego a un hermano sobre otro, sino Eva, primera entre todas las pecadoras.

El segundo enigma narrativo de *Nada* tiene que ver con la protagonista, que a pesar de su aparente inocencia, parece estar pasando las de Caín a lo largo de la novela. Con la resolución del primer enigma se aclara cuál puede ser la culpa por expiar de esta joven núbil: es mujer, madre en ciernes, pecadora en agraz. Y aunque haya tardado todo un año en aceptar su papel femenino, al final lo hace extasiada, como cabra que tira al monte: «era fácil para mí entender este idioma de sangre, dolor y creación que empieza con la misma sustancia física cuando se es mujer [...] sabiendo mi propio cuerpo preparado —como cargado de semillas— para esta labor de continuación de vida» (p. 250). Así se suma a la lista de mujeres que conocen y hasta alaban su lugar en un mundo caído por su culpa.

En *Primera memoria* se repite la misma búsqueda de un culpable, aunque con fintas más complejas. Contada, como *Nada,* desde la perspectiva de una protagonista ya madura, la novela de Matute se enfoca en el primer año de la guerra civil, la cual coincide no casualmente con la pubertad de Matia. La niñez —descrita en términos paradisíacos— que Matia está en proceso de perder, es por metonimia el paraíso (republicano) del pueblo español. Los dos saldrán de esos años de conflicto amputados y culpables, víctimas y victimarios: España, porque ha dejado triunfar la casta de los guerreros, encarnada en Borja, sobre la de los santos inocentes como Manuel; ella, porque va a ser mujer en un mundo androcéntrico, y ha consentido en aceptarlo. El llegar a ser mujer es un proceso biológico, involuntario, y no obstante la narradora recrea ese año embargada de culpa; ¿de qué se siente culpable? Tenemos aquí el enigma estructurante de *Primera memoria.*

En el capítulo 3, se hace un análisis pormenorizado de esta obra/enigma; aquí lo que interesa de *Primera memoria* es su presentación del tema de la caída femenina. A lo largo del año recordado, Matia lucha por no caer en el mundo adulto, cuya corrupción integrante se ha patentizado con la guerra. Ese mundo, asociado con su abuela Práxedes, representa para Matia la división y la competencia frente a la unidad igualitaria y andrógina del mundo infantil. Nos da a entender —engañándonos hasta el último momento— que la lucha por no caer es inútil: «como pequeños animales contra la tierra pedregosa, nos deslizábamos hacia abajo» (p. 122). Su abuela, una beatona tan fascista como Angustias, se ha encargado de transformarla en una señorita bien, que conozca su lugar en una sociedad exclusivista y faccionaria. La muchacha resiste su aculturación hasta cierto punto, aliándose con Manuel, personaje de compleja función en la novela. Por un lado, el chico personifica, como Gloria, el elemento heteróclito que no pudo ser asimilado por el Estado español: pobre, pelirrojo y catalanoparlante como ella, tiene además sangre y rasgos judíos y es hijo natural de una «sinvergüenza» roja. Mientras que Gloria es una figura bastante equívoca en *Nada,* Manuel es noble sin más, digno hijo de su divino tocayo. Igual que

Cristo, Manuel propone otro modo de vivir la vida, queriendo a los demás, tratándoles en función de su humanidad en vez de hacer distingos en base a su sexo, clase, edad, raza o ideología. Matia, cayéndose lentamente, sólo tiene que resistir los halagos de su primo Borja para salvarse con Manuel, pero es demasiado débil y lo abandona, junto con su promesa de una vida nueva. Como Andrea, entonces, acepta voluntariamente el papel de mujer que su cultura le tiene asignado; así asiente en su propia caída y asegura la continuación por una generación más de la organización asimétrica de su sociedad. Otra vez el mito del Génesis —remozado y complicado con toques de existencialismo— es utilizado para explicar el estado degradado de la mujer (y de la sociedad de posguerra): por ser débil lo tiene todo merecido.

Ana María Moix nació en 1947, por lo cual ni pasó las dificultades de la inmediata posguerra ni llegó a la madurez recordando otras condiciones mejores. Lo mismo se puede decir de la protagonista de su primera novela, *Julia,* a pesar de lo cual vive tan obsesionada como sus antecesoras por descifrar «la causa de la causa de las cosas» (en palabras de Blas de Otero), o sea, el origen de su existencia degradada. No puede leer en la guerra las razones de su estado, así que se concentra en el evento más dramático de su propia experiencia, la relación con su madre, para ver si allí encuentra la causa de su fracaso vital. Este cambio de enfoque —una miopización, si se quiere— anticipa una de las principales innovaciones de la segunda generación de protagonistas respecto de la primera: no buscan la causa de su propia ruina más allá del núcleo familiar. No hay ninguna huérfana entre ellas, y a pesar de tener madres más bien regalonas, viven más sujetas y agobiadas por sus familias que Andrea y Matia.

La madre de Julia también prefigura la típica madre de la segunda generación: es un producto de la ideología sexual del régimen, según la cual la mujer vive (como Dios manda) en exclusiva función de su género, dedicándose a las tres «k» fascistas (Kinder, Küche, Kirche): casa o niños, cocina e iglesia. La madre de Julia, por su parte, se dedicaba a otra «k» femenina: la coquetería. De allí cayó en el consabido pecado de las madres, prefiriendo a sus hijos varones y descuidando a su hija. Como resultado de eso —y aquí vemos un remozamiento freudiano del Génesis— sobrevino la ruina familiar, configurada en la homosexualidad del hijo mayor, la muerte del hijo de en medio, y la esquizofrenia de la hija. Otra vez parecería ser la debilidad de una mujer lo que echa el mundo a perder, pero una vez más estamos ante una respuesta engañosa, o por lo menos parcial.

Como en las novelas anteriores, el proceso de develar la verdadera contestación es intrincado; esta narradora lo describe como «seguir un hilo sin fin que poco a poco [va] enredándose para terminar en un embrollo» (p. 27). Al final de su hilo, la narradora siempre da con la misma imagen, clave del enigma. Es Julita, con seis o siete años, sentada en el portal de la casa veraniega, anticipando con «una alegría honda, salvaje» (p. 75) la llegada de la madre. «De pronto tuvo la urgente necesidad de castigarse por aquella alegría. No la merecía. Por la mañana había cometido un grave delito. Era culpable.» Ella identifica como delito el preferir injustamente a su madre sobre su padre; es el viejo pecado de la mujer adulta. Empieza un largo autocastigo, abandonando el paraíso que había habitado con su madre, y rechazando todo comportamiento que la uniera al mundo femenino, encarnado en Mamá. A los veintiún años, la edad que tiene al comenzar la novela, se ha vuelto prisionera de sus propios miedos y fobias. Nos da a entender que fue resultado de sentirse culpable aquel día, y querer expiarlo. *Mutatis mutandis* se llega a la misma racionalización del degradado estado femenino propuesta por Laforet y Matute: la mujer se ha ganado el infierno que tiene que vivir. Es curioso notar que en *Julia* la narradora presenta otro suceso que podría verse como crítico en el no-desarrollo de Julita —su violación por un amigo de la madre aquel mismo verano— pero siempre que lo menciona lo hace de manera esquiva, soslayada. Mientras que cierta borrosidad en las referencias a esta violación pueden achacarse al cuidado impuesto por la censura, todavía en vigencia en esos años, parece obvio que a la narradora tampoco le interesa insistir demasiado en ella. La culpa de su caída la tiene ella, no otro.

Un cambio de temática empieza a perfilarse con las escritoras que comenzaron a publicar después de la muerte de Franco en 1975: Riera, Roig, Tusquets. En las tres obras que voy a comentar brevemente aquí —«Te deix, amor, la mar com a penyora» (1975. Traducida en *Palabra de mujer* con el título: «Te entrego, amor, la mar, como una ofrenda»), *El temps de les cireres* (1977. *Tiempo de cerezas*) y *El mismo mar de todos los veranos* (1978)— ya no interesa más que lateralmente encontrar quién ha tenido la culpa de las desgracias sufridas; ya se mira el futuro como el lugar de redención, aunque sea de otras. Es sólo en Tusquets, por cierto la mayor del grupo, donde se encuentran todavía rastros de la vieja preocupación por poner el sambenito. Las narraciones de estas tres son, como las de Laforet, Matute y Moix, relatos seudoautobiográficos, *Bildungsroman* cuyas coordenadas espacio-temporales repiten sugestivamente las de sus autoras. Por lo demás, representan un conato de ruptura, tanto temática como estilística, con sus predecesoras. En el caso de las jóvenes, Roig y Riera, esta ruptura es además lingüística; su empleo del catalán, su *«prise de la parole»,* marca una frontera clara entre su generación plenamente posfranquista y la anterior.

En el nivel formal, las autoras más innovadoras de esta generación son Riera y Tusquets. Entre varias técnicas que emplean para desfamiliarizar el texto, comparten dos que podemos considerar típicas. Primero, suprimen el nombre de sus respectivas protagonistas, obligando al lector a «vivir en los pronombres», en palabras de Pedro Salinas, sin poder objetivar el sujeto de lo narrado. También han sabido manipular el desenlace de la historia para desconcertar al máximo. Tusquets logra que al final de *El mismo mar...* el lector experimente lo «normal» —una relación conyugal, culminando en un coito heterosexual— como una perversión. El cuento de Riera, con la estudiada cursilería de su lenguaje y trama, logra el efecto contrario, y el lector, adormecido sobre sus preconceptos, encuentra al final que ha estado vitoreando una flagrante «perversión».

Las tres protagonistas se diferencian de sus antepasadas por su edad —son todas mujeres adultas, experimentadas sexual y afectivamente— y por su actitud de desafío. No quieren ser más las destinatarias de la carga de culpa que sus madres les han reservado, y para evitarlo, para construir otro tipo de vida, para ser sujetos y no objetos, han tenido que rechazar el «ser mujer» tal como esto se ha definido en su cultura. La configuración más llamativa de su rechazo es la erótica: se niegan a cifrar su deseo en un hombre. Dos de ellas, precisamente las casadas, inician la más subversiva de las relaciones sexuales, la lesbiana[4]. La protagonista de *El temps de les cireres,*

---

[4] Tanto Gabancho como Romero *et al.,* critican el tratamiento de la homosexualidad femenina en las escritoras del *boom,* encontrando que las relaciones descritas no parecen «reales» o «naturales». Gabancho escribe: «Es notorio el hecho de que el lesbianismo aparezca siempre como una opción intelectual, argumentada, pero nunca como simple deseo natural» (p. 119). Romero *et al.*: «Aunque se insiste en lo erótico, se hace [más] bien en un estricto sentido literario más que como reflejo de una experiencia real y gozosa» (p. 350).

Natàlia, no se deja definir en términos de un deseo erótico de ningún tipo. Obsesionada con la búsqueda de su propia identidad, ha vivido sacándose de encima todo lo demás. Es significativo que su única actividad genital en el presente de la novela sea masturbarse.

Igualmente se han negado a aceptar otras limitaciones impuestas en ellas por su cultura: no se quieren callar, rompen a escribir historias prohibidas en lenguas prohibidas; se confiesan, se buscan, se definen *no siendo,* pasivamente, sino *analizando,* activamente dueñas de la palabra raptada. La protagonista de *El mismo mar*... —cuyo nombre, Elia, se revela en la segunda novela de la trilogía de Tusquets— decide «escribir» una nueva vida para sí misma, en vez de seguir jugando un papel en la historia dictada por su madre y la «raza de enanos» a la que ambas pertenecen. La protagonista de «Te deix...» también se pone a escribir para cambiar el futuro, para asegurar, en este caso, la herencia de su hija por nacer. Otra vez la novela de Roig discrepa del modelo, porque Natàlia no es narradora de su propia historia. Mientras que ha sabido mejor que las otras poner su rechazo en práctica —amputándose del feto que llevaba, de la familia, de sus lenguas y de su país— no ha sabido reflexionar en ello con el fin de armar una contrapropuesta. Se castiga, usando las mismas palabras que Andrea, por ser «espectadora de todo» en vez de agente activo: «La Natàlia de vegades pensava que ella no era més que un mussol de la història, tot passa pel teu davant i tu només mires [...]» (p. 209) [«Natalia pensaba a veces que no era más que un buho de la historia, todo pasa por delante de ti y tú sólo miras...» Pp. 211-12 de la versión castellana.] Si ha podido sacudirse la culpa que le tocaba por española, no ha aprendido a desoír las voces ajenas ni a formar sus propios juicios. El amante la criticaba porque no quería hacer la guerrilla, y ella no supo responderle que ya había hecho una guerrilla contra su cultura y su propia definición; que en un momento crítico se había parado y había tenido el valor de decir que «no». Cuando a pocas horas de su vuelta a Barcelona descubre que han vendido el jardín familiar donde jugaba de niña, se extraña, y pasa a otra cosa. Culpa suya no ha sido.

Con «Te deix...» volvemos de nuevo a un texto centrado en el paraíso misteriosamente perdido. Otra vez el enigma estructura el relato, pero esta vez la verdad revelada es muy otra. Literalmente muy otra. La persona amada, dedicada a la enseñanza de matemáticas, joven pero viviendo lejos e independiente de su familia, con coche propio, conocedora del terreno, naturalmente tiene el papel de iniciador en la relación con su joven estudiante, inocente y enamoradiza. Viven un paraíso casi instintivo, natural, sin culpas ni recriminaciones. Conocen el mundo virginal, pleno de belleza, recorriéndolo mano en mano: «Erem més joves, menys conscients, plens d'una innocència perversa, quasi maligna, d'ángel rebel» (p. 20) [«Eramos más jóvenes, menos conscientes, rebosantes de inocencia perversa, casi maligna, de ángel rebelde». P. 10.] Hasta que el padre de la estudiante se interpone, precipitando con el *nom du père* la caída de la pareja de su paraíso unitario, y su nacimiento, en términos lacanianos, a la orden simbólica.

Perdida la identidad que gozaban, ahora tienen que vivir en un mundo marcado por la diferencia; prohibida la presencia, experimentan sólo la ausencia. Por eso la narradora sabe con exactitud de segundos el tiempo que ha pasado desde entonces, por eso su vida posterior se concreta en exilio, estudios, dolor, conciencia de su diferencia respecto de un compañero varón y, por fin, culpa a raíz de esa conciencia: «Ell era engarjolat i jo lliure! Em sentia peça del joc, la responsable de les roses perdudes i els ocells caiguts, culpable» (pp. 32-33) [«¡Él estaba preso y yo libre! Me sentía pieza del juego, responsable de las rosas marchitas y de los pájaros muertos, culpable». Pp. 26-27.] Aquella noche «s'esbucava definitivament la meva adolescència» [«se derrumbaba para siempre mi adolescencia»]. Hecha a la añoranza por su amante, porque así lo ha dictado el patriarca, se casa y se embaraza. Pero enfrentada con la segunda ruptura que va a protagonizar cuando dé a luz su hija —intuye que es hija— prefiere morir. Escribe a su amante para dejar testimonio de su último deseo, que la hija por nacer lleve el nombre de ésta, María. Así se desvela el enigma central de este cuento: la orden paterna había prohibido ese amor por homosexual, reconociendo en la homosexualidad una subversión elemental de la economía sexual del patriarcado. Pero la protagonista resistió la internalización de este juicio, por lo cual no se arrepiente de su deseo, sino de la vida de privación que desde entonces ha llevado *por culpa del Padre*. Prepara su suicidio —abandonando los papeles impuestos por el orden cultural— como respuesta desafiante a ese orden, haciéndole pagar lo que hizo.

Es en *El mismo mar...* donde se configura más claramente, en el personaje de Clara, el sentido de apertura hacia el futuro característico de esta generación posfranquista. No por eso deja de ser otra novela triste, ya que narra el derrumbe de la protagonista, anunciado por ésta desde el principio. Por los datos cronológicos provistos en *El mismo mar...*, podemos calcular que a la protagonista le ha tocado vivir en cierto modo la vida adulta que Andrea y Matia se imaginaban. Después del fracaso de su formulario intento de rebelarse con un amante foráneo, se casó, tuvo una hija y desempeñó «el papel grotesco de mujer oficial de un pigmeo supuestamente importante» (p. 211). Al comenzar la novela está entrando en una nueva etapa de su vida: se acerca a la menopausia, acaba de empezar a dar clases en la universidad, y su marido la ha dejado por otra. Elia vuelve a la vieja casa materna buscando, cómo no, la razón de su fracaso vital, de su «no vida». La madre parecería tener una buena parte de la culpa. Pero una vez instalada en la casa, donde vivió años felices a pesar de su inconformidad con las pautas de su madre, decide abandonar la pura búsqueda del error originario para intentar «escribir», en su metáfora, una vida nueva, auténtica esta vez y no dictada por las buenas familias catalanas. Hay que puntualizar que el primer capítulo en esta nueva vida no es aparentemente demasiado revolucionario ya que se trata de establecer una relación amorosa, de escribir una vez más la misma «historia tonta [...] con un único previsto final» (p. 133). Pero varía con efectos subversivos los elementos paradigmáticos del sintagma, tema que se explora más a fondo en el capítulo 4 de este libro. Por un tiempo logra una relación igualitaria que desafía toda la gramática social; junto con su pareja Clara planea un futuro heroico, sin jerarquías ni claudicaciones, tal como ella lo había proyectado una vez con su amante foráneo. Clara, a la vez otra y no-otra respecto de Elia, como Satanás respecto de Eva, le proporciona una «postrera, extemporánea posibilidad de volver a la vida» (p. 259). Pero Elia escarmentó con Jorge, que también le había ofrecido la manzana, para luego abandonarla a su destino. Esta vez dice que no, sabiéndose incapaz de protagonizar otra rebelión a su edad. Pero espera haber enseñado y potenciado a Clara para sus batallas, «porque yo —aún traicionándola— le he dado la posibilidad que a mí me negó Jorge, la posibilidad de dar la réplica, de actuar en un sentido o en otro» (p. 226). Clara, entonces, representa la esperanza de toda esta generación de escritoras: la mujer nueva, equipada con alas, con palabras, y con la buena voluntad de sus «madres». Inocente del sentimiento de culpa, está preparada para actuar en su vida, dejando de ser víctima de la historia una vez para siempre.

3. *PRIMERA MEMORIA*: CÓDIGOS DE EXCLUSIÓN, MODOS DEL EQUÍVOCO

«Dos es el principio del fin.»
WENDY DARLING

Del primer al último recuerdo, tanto a nivel de historia como a nivel de discurso, la *Primera memoria* de Ana María Matute socava la convención y frustra las expectativas [1]. Empieza con una llamativa imagen de la abuela de la narradora, una señora majestuosa de cabellos blancos y... dura como los brillantes que lucen sus dedos. Esta imagen, cuya importancia viene subrayada por el lugar que ocupa como «primera memoria», establece el tono desmitificador del resto de la narración, y constituye el primer ejemplo de la ecuación que caracteriza a esta equívoca y engañosa novela:

$$\text{A} = \text{B, pero A} \neq \text{B}$$
$$\text{Práxedes} = \text{abuela, pero Práxedes} \neq \text{«abuela»}$$

El título de la obra establece unas expectativas de lectura que el resto del texto defraudará: en lugar de la nostálgica evocación de la infancia que «primera memoria» insinúa, el lector se encuentra con una historia de traición y engaño. Retrospectivamente, uno se da cuenta de que el epígrafe de la novela —ingeniosamente amañado por la narradora— introduce el tema y la práctica del engaño [2], pero en una primera lectura es esta descripción de la abuela lo que indica la no convencionalidad de la obra. A partir de esta imagen, la percepción del lector acerca de la «rareza» o inverosimilitud de la

---

La versión original de este capítulo fue publicada en *Ideologies and Literature,* nueva época, 1 (1985). Traducción al castellano de Maite Cirugeda con la ayuda de la autora.

[1] Distinguiré entre Matia el personaje adolescente y Matia la narradora, cuyos recuerdos del décimocuarto año de su vida forman la historia. Ya que el recuerdo de la persona adulta retiene en parte los pensamientos y experiencias de la niñez, no se puede demarcar perfectamente el punto de vista de la voz narrativa.

[2] La autora implícita añade tres palabras significativas a la cita bíblica que sirve de epígrafe, aquí subrayadas: «A ti el Señor no te ha enviado, y sin embargo, *tomando Su nombre* has hecho que este pueblo confiase en la mentira», Jeremías, 28.15.

novela va en aumento[3]. No obstante este condicionamiento, el desenlace logra sorprendernos, tanto debido a su rapidez (para la cual el lento ritmo de la novela no nos prepara) como debido a que la escena final —de Matia y su primo Borja abrazándose después de un alejamiento— resulta inesperadamente inquietante. Si bien es cierto que poner fin al desorden mediante un abrazo constituye un final cómico clásico (A = B), en *Primera memoria* el gesto nos parece trágico (A ≠ B). Así pues, al lector tan perturbadora le parece la última experiencia de la novela como la primera.

A lo largo de la obra, la lectora es inducida a reconstituir la confusión y la decepción que Matia, la protagonista, experimenta durante el año de su iniciación en la sociedad adulta. *Primera memoria* afirma y demuestra que todas las historias engañan y defraudan, incluso cuando tratan del engaño y la decepción, que todos los ideales —tanto estéticos como morales— son quiméricos frente a una «realidad» con frecuencia capciosa. Empezando con una abuela poco abuela y terminando con una alianza infernal, *Primera memoria* recapitula el triste tránsito de la protagonista de jovencita a mujer.

Este análisis de la novela de Matute consta de tres partes. La primera identifica las relaciones de base de la novela, aplicando una forma algo modificada del modelo actancial de Todorov (y de Greimas). Una vez establecidas dichas relaciones, de ellas se pueden deducir las principales «reglas de acción» que gobiernan la obra. Estas reglas, como explica Todorov, «reflejan las leyes que gobiernan la vida de una sociedad, la de los personajes de nuestra novela [...]. [M]ediante reglas similares se podrían describir los hábitos y leyes implícitas de cualquier grupo homogéneo de personas» (p. 172). Respecto de *Primera memoria*, elucidar las reglas de acción sirve para clarificar algunos aspectos desconcertantes de la novela: la naturaleza de la lucha interna de Matia y de la lucha por Matia; el ascendiente de Borja sobre Matia, Manuel, Chino, y sobre su propia banda; la tragedia del desenlace. En la segunda parte, se utiliza esta información para extraer de ella los valores de la cultura dominante de la novela, el código que se espera que Matia, como niña bien,

[3] «Rareza» (*oddity*) es la palabra que Gilbert y Gubar emplean para describir muchas de las obras de escritoras decimonónicas, ya que no parecen cumplir con la norma establecida por la «poética patriarcal» (pp. 72-73). Nancy Miller, por su parte, habla del uso a conciencia de la inverosimilitud por parte de las narradoras en un intento de subvertir las normas —esencialmente masculinas— de verosimilitud («Emphasis...»).

internalice. En la tercera parte, se analizan a Matia y su contracódigo, su libro de deseos, para así explicar la anfibología o equívoco constitutivo del presente texto.

I

Cuatro «predicados de base» gobiernan las relaciones de *Primera memoria*: los tres pertenecientes al modelo de Greimas —el deseo, la comunicación y la participación—; y otro que yo misma he añadido, la equiparación (o igualdad). Sus opuestos son el odio, la incomunicación (incluidos los secretos, las mentiras y el disimulo), la oposición y la dominación. Si representamos con un diagrama estas conexiones (véase el apéndice de este capítulo), arrojamos una nueva luz sobre la dinámica de la novela. Tal vez lo más inesperado sea la ubicuidad de Borja: es un sujeto múltiple u objeto de todos los predicados excepto la equiparación. Inadvertido por el lector, que siguiendo la convención de la lectura presta mayor atención a Matia por su calidad de protagonista, Borja asume un lugar en la estructura de la memoria comparable al que ocupa en el orden social, familiar y sexual: es más importante que su prima. Matia es la protagonista, $A = B$, pero no es el personaje principal, $A \neq B$.

Las relaciones que podemos llamar discontinuas porque se manifiestan esporádicamente, siempre conciernen a dos de los componentes de la tríada Matia-Borja-Manuel. Todos los aparejamientos heterosexuales se dan en distribución complementaria, de tal manera que cuando Matia desea a (se comunica con, etc.) Borja, no desea (etc.) a Manuel:

1. si Matia ama (etc.) a Borja, no ama (etc.) a Manuel
2. si Matia ama (etc.) a Manuel, no ama (etc.) a Borja
3. si Matia ama (etc.) a Manuel, Borja no ama (etc.) a Matia

Pero,

4. si Matia ama (etc.) a Borja, Manuel no reacciona

Como sujeto de todas estas proposiciones, parece que Matia dirige el mundo afectivo de la tríada ($A = B$), pero dicho control debe considerarse ilusorio o efímero ($A \neq B$) a la luz de su subordinación final a Borja. Al rendirse a su abrazo, renuncia a su autonomía y a la dominación que ejerce sobre Manuel, perdiendo dos privilegios de una vez. La pregunta principal que *Primera memoria* plantea es si Matia controlaba, o no, el «resultado» de su adolescencia (o su equivalente textual, el desenlace de esta memoria). ¿Hubiera podido resistirse a su derrota?, o bien, utilizando una metáfora que abunda en la novela, ¿la suerte estaba ya echada? Definida por el sistema sociosexual como peón, ¿hubiera podido acaso jugar mejor que el Caballo (Borja), el Alfil (Mosén Mayol y la jerarquía eclesiástica por él representada), la Torre (Álvaro y sus aristocráticos y militares amigos), y la Reina (Práxedes)? ¿Acaso hubiera podido dar jaque mate al mismísimo Rey (el patriarcado)?

La narradora opta por no responder a dicha pregunta, o más exactamente, responde con un equívoco que empieza con el título y continúa hasta la última palabra. Por una parte, la historia sugiere que Matia fue coaccionada a llevar a cabo su acción final (traicionar a Manuel/renunciar a sus ideales/rendirse a la pasividad), pero, por otra parte, el discurso insinúa precisamente lo contrario: que Matia era culpable, que actuaba de mala fe [4]. Varios elementos del discurso sostienen dicha contrasugerencia: la presentación de algunos modelos de comportamiento anticonformista; la inclusión de por lo menos dos mentiras cuya falsedad el lector puede detectar con facilidad; la crítica constante de la falsedad del mundo adulto (crítica desde «fuera» por parte de la niña Matia, y desde «dentro» por parte de la narradora adulta).

Volviendo al diagrama observamos que hasta el desenlace de la novela, la relación entre Borja y Manuel es totalmente negativa y desigual, con Borja como único actor. Entrenado para competir —y ganar—, Borja no puede soportar que Manuel se niegue a participar en ningún tipo de contienda y, para forzarle a actuar, cambia todos los predicados, simulando la comunicación, el amor y la equiparación con él, y pidiéndole «ayuda» para Matia. Esta «ayuda» solicitada se revela después como lo opuesto; constituye verdaderamente un obstáculo para Manuel, una trampa fatal (en la que Matia es el cebo). Al abrazar a Borja, Matia le confirma su victoria, y acepta las reglas adultas que él ha utilizado para vencer.

[4] La fuerte presencia de Jean Paul Sartre en *Primera memoria* nos permite juzgar a Matia según la filosofía sartriana, según la cual es culpable de «mala fe» en todos los niveles. Otros motivos con el eco de Sartre son las moscas (que recuerdan *Les mouches*) y el gallo, con su ojo objetivador.

Con este gesto, Matia abraza también la definición de sí misma como cebo o botín, y el rol de mujer como accesorio. Su vida activa ha terminado; ha completado el pasaje[5].

II

Las reglas de acción que gobiernan *Primera memoria* reflejan un mundo de exclusiones, en el que la lealtad tiene que ser indivisa y en el que es obligatorio tomar partido respecto a la sexualidad, la familia y la pertenencia a una clase social. Tan pronto como llega a la isla —metonimia y metáfora de su pubertad[6]—, Matia intuye

---

[5] Hay varios paralelos sugerentes entre *Primera memoria* y *Cumbres borrascosas.* Cuando al final de la novela Matia abraza a Borja y con él, a su (papel de cómplice en la) vida adulta, recuerda la «aceptación fatalista por parte de Catalina Earnshaw de la oferta de Edgar y de su consiguiente auto-encarcelamiento en el papel de la "Sra. Linton"» según descripción de Gilbert y Gubar (p. 278). Como Catalina, Matia está forzada, por las leyes de la exclusividad sexual, a rechazar a su compañero ideal a favor de su par social.

La novela de Brontë gozó de un gran éxito en España después del estreno —en 1942— de la versión fílmica (hecha en 1939), por lo cual me pareció probable que Matute conociera al menos el argumento de la obra, hipótesis apoyada por el hecho de que escribió una obra dramática con el título de *Cumbres* alrededor de 1942, según Janet Díaz (pp. 38-39). A juzgar por la descripción hecha por Díaz de esta obra inédita, guarda una relación todavía más estrecha que *Primera memoria* con la novela de Brontë. Es un lugar común en la crítica que Carmen Laforet escribió *Nada* muy influida por *Cumbres borrascosas* (véanse, por ejemplo, Alborg I: pp. 134-35; Martínez Cachero, pp. 110-12; Chandler y Schwartz, p. 260), pero tal filiación no se ha comentado en Matute.

Preguntadas ambas autoras acerca del tema, las respuestas fueron diametralmente opuestas. Entrevisté a Matute el 17 de julio de 1984, después de la publicación de este estudio, y me confirmó que había leído y profundamente admirado *Cumbres borrascosas*: «Para mí ha tenido mucha influencia —por lo menos al principio de mi vida, concretamente en *Los Abel*— la Brontë, Emily Brontë. *Cumbres borrascosas* me fascinó [...]. Entonces, yo creo que me influyó. [...] Me impresionó mucho esa novela llamémosla de mujeres» (Nichols, *Escribir...,* p. 31).

Por su parte, Carmen Laforet, en una entrevista celebrada el 29 de diciembre de 1984, me negó rotundamente esta supuesta influencia: «Esto sí que no es verdad. Primero, es que no se parece absolutamente nada el ambiente de *Cumbres borrascosas* al ambiente de Barcelona después de la guerra. Y luego, yo he leído esto después de haber escrito *Nada,* de modo que [...] pero es que aunque lo hubiera leído antes, no tiene ninguna conexión» (Nichols, *Escribir...,* p. 131).

[6] La pregunta que ella y Borja se hacen con frecuencia refleja hasta qué punto la

la naturaleza coactiva de esta ley, reflejada en el texto mediante un *collage* de imágenes de camas, hormigas, encarcelamiento, y juegos de tablero.

> Obedecer a Borja, desobedecer a la abuela: ésa era mi única preocupación por entonces. Y las confusas preguntas de siempre; que nadie satisfacía. Sin saber por qué, volvían de nuevo a mi recuerdo las sombras de los hierros forjados y las hormigas en la pared. En lo que me rodeaba había algo de prisión, de honda tristeza. Y todo se aglutinaba en aquella sensación de mi primera noche en la isla: alguien me preparaba una mala partida, para tiempo impreciso, que no sabía aún [p. 50].

La ley de lealtad sexual que se desprende de la novela impone la fidelidad a un único compañero (hetero)sexual, dentro de —o previa a— un matrimonio sancionado por la Iglesia[7]. Y es esta ley la responsable de los conflictos centrales de *Primera memoria*, incluida la contienda entre Borja y Manuel por Matia, así como la resistencia interna de Matia contra su propio crecimiento, ya que ella define explícitamente el crecer como el tener que ser u hombre o mujer con las consiguientes obligaciones heterosexuales. Pocos son los infractores a esta ley sexual: Jorge, que ha sido polígamo y ahora vive con el sexualmente equívoco Sanamo; Sa Malene, cuyo sexo y cuya clase social hacen que le resulte imposible encubrir su infracción; Borja y Chino, con su relación homosexual[8].

La lealtad a la familia es la segunda norma de esta cultura, cuya importancia puede juzgarse por la aparición de Práxedes al inicio de la genealogía/memoria de Matia. Porque no se trata únicamente de una abuela de Matia, y así lo pone en claro la narración: en la

---

isla es metáfora de su pubertad: «"¡Cuándo acabará todo esto...!" Bien cierto es que no estábamos muy seguros a qué se refería: si a la guerra, la isla, o a nuestra edad» (p. 98). Es a la vez metonimia de esa edad porque Matia las habita simultáneamente; su año de transición lo pasa enteramente allí.

[7] Ya que no es así en todas las culturas, es interesante notar que el casamiento entre primos hermanos no es un tabú en la sociedad endogámica pintada en *Primera memoria*. Estudios antropológicos de la zona mediterránea, denominada por Tillion «la república de los primos», confirman que de hecho, y sobre todo en las clases privilegiadas, la unión de primos hermanos se considera no sólo deseable sino ideal (Gilmore, *People...*, p. 74; Prat, p. 122; Tillion, pp. 36-37).

[8] Sa Malene se embaraza, y vive literalmente bajo la mirada de otros. Es un caso de «auto-revelación involuntaria», típica de la gente sin poder ni estatus, según el estudio de Thorne y Henley. Mientras menos autoridad se goza, más información personal hay que revelar. Ésta, a su vez, puede ser usada en contra de la persona, proveyendo así «otra manera de mantener las desigualdades de poder» (p. 26).

ausencia de un varón apto para el cargo, Práxedes se ha convertido en el patriarca, y ejerce todo el poder económico y político que, en general, está reservado al «cabeza de la familia». No deja de ser significativo que, al recordar las reuniones familiares, a Matia siempre le viene una imagen hierática: en el centro está Práxedes, flanqueada por el cura, mosén Mayol, presidida por (el retrato de) el abuelo difunto, y rodeada de los retratos dedicados de Álvaro —el padre de Borja— y de otros miembros de la estructura del poder militar y gubernamental.

El más flagrante infractor de la ley de lealtad familiar vuelve a ser Jorge, que vive distanciado de su familia, sobre todo de su pariente Práxedes, y dejó morir solo a su anciano padre, para escándalo de todos. La madre de Matia desobedeció a su familia al casarse, pero expió su pecado con el sufrimiento: «pagó cara su elección [...] afortunadamente, según Práxedes, aquel matrimonio duró poco: mi madre murió antes de que las cosas tomaran un giro escandaloso» (p. 102). Una de las más graves acusaciones que Práxedes dirige al padre de Matia es precisamente la de ser un «descastado» (p. 14), sin el apego normativo a su familia. Para Práxedes, era un hombre «corrompido (*ideas infernales, hechos nefastos*)» (p. 14); «obsesionado por ideas torcidas, que le hicieron gastar en ellas el dinero de mi madre y que arruinaron su vida familiar» (p. 102). Esta «tara» genealógica tal vez explique la temprana ambivalencia de Matia respecto a Práxedes y familia; ha sido, en palabras de la abuela, «maleada» por ese «desvanecido y zozobrante clima familiar» (p. 14). Es indudable que una de las más claras señales de su aculturación es su elección final del primo Borja en lugar de Manuel.

Como hijo natural, Manuel profesa lealtades familiares divididas, que hasta cierto punto explican la repetida observación de Matia acerca de que él «no era de nadie» (pp. 35, 124-25, 188). La unión entre sus padres, Sa Malene y Jorge de Son Major, había transgredido los límites de clase, y no había sido bendecida ni por la Iglesia ni por el Estado. Por ende, Manuel encarna la infracción del orden social. De niño podía pertenecer tanto al padre como a la madre, pero al llegar a la adolescencia (cuando el individuo queda bajo la jurisdicción de las leyes culturales que gobiernan las lealtades sexuales y familiares), se ve obligado a tomar partido. Manuel explica a Matia su decisión de vivir con su madre y con su padrastro: «Me di cuenta de que mi sitio estaba con ellos, ahí, en esa casa [...] y sobre todo con él, con Taronjí [...] ¡Tenía que estar a su lado!» Y termina con un aparente *non sequitur*: «¡Porque no se escoge la familia, se la dan a uno!» (p. 123), lo cual es cierto para todos los personajes de esta novela excepto para él. En su caso lo que era forzado era la elección en sí; uno no puede optar a favor o en contra de tener una familia, con todas las consecuencias que ello pudiera acarrear, del mismo modo que tampoco puede uno optar a favor o en contra de crecer.

Otro de los principios organizativos elementales de este mundo novelístico es la solidaridad con los miembros de la clase social a la que se pertenece. En la isla sólo hay dos clases sociales, la alta y la baja, lo cual refleja su supuesto modelo, Mallorca, con su organización social anacrónica. Este elemento unitivo cobra particular relieve en el período de tiempo que sirve de escenario a la apertura de la novela, el verano de 1936, momento en que han empezado a trazarse con sangre humana las fronteras de clase, tanto en la isla como «en el otro lado», en la Península. El clan de Práxedes, el cura y unos pocos profesionales, constituyen la elite de la isla; tienen su propia milicia en los hermanos Taronjí[9]. Los sirvientes y los pueblerinos constituyen la clase baja. En imitación de este orden estratificado, Borja organiza una pandilla que agrupa a Matia y a los hijos de los profesionales, y que presenta batalla a *«los otros»*: una pandilla de chicos de clase baja, armados con ganchos y acaudillados por el hijo de un herrero. Como Matia vagamente intuye, es una refundición de Peter Pan, Wendy y los Niños Perdidos —todos niños de la alta burguesía— contra el capitán Garfio y sus piratas proletarios (pp. 139, 141).

También de esta convención clasista se ha burlado Jorge durante toda su vida (p. 87), pero la guerra ha exacerbado las divisiones entre las clases y le ha forzado —así por lo menos creen los del pueblo— a pasarse al bando de Práxedes (pp. 36, 45). El padre de Matia es un renegado de su propia clase, ya que a pesar de ser bien nacido, ahora se halla —sigue la imagen del tablero y del juego— «con ellos, en el

---

[9] «Los Taronjí y el marido de Malene tenían el mismo nombre, eran parientes, y sin embargo nadie se aborrecía más que ellos» (p. 34), un odio nacido de sus opuestas lealtades políticas. Los hermanos Taronjí se encargan de mantener el orden fascista en la isla, formando así parte de la esfera política aunque no social de Práxedes. A pesar de su ascendencia judía, militan en la banda fascista con su cariz netamente antisemita, lo cual subraya su falta de principios morales. El motivo del racismo en la isla —otra forma de exclusión— merece un mayor análisis. Borja es el más racista de todos, lo cual no puede sorprender a nadie.

otro lado» (p. 46). Manuel resuelve su posición social equívoca al elegir como padre a Taronjí. Tanto él como Matia comprenden lo que dicha elección significa: que él, como dice Matia, se ha puesto «fuera de la barrera [...] de los Taronjí, el delegado y todos los demás. Y, acaso, de mi abuela también» (p. 124). La amistad entre ellos, entonces, burla la ley de solidaridad de clases, infracción de la cual Matia se retractará al final.

Sa Malene es víctima reincidente de los fascistas porque no guarda el puesto que le toca como mujer y como miembro de la clase baja. Es una adúltera interclasista que, al contrario de la Magdalena bíblica, no ha pedido perdón sollozando ni ha secado los pies de nadie con su magnífica cabellera. Estos cabellos, «de un rojo intenso, llameante; un rojo que podía quemar» (p. 53), son un símbolo de su reto a lo convencional; tanto por su color como por su valor simbólico, la asimilan a los republicanos, «los rojos» de la guerra civil. Aún después del asesinato ejemplificador de su esposo, Malene sigue sin conformarse a las normas: «Demostró sentimientos [...] poco resignados» (p. 156). Por eso las mujeres del pueblo deciden castigarla con la lapidación, forma de escarmiento femenino que goza de larga tradición en el patriarcado judeocristiano. Intervienen en último momento los hermanos Taronjí, abogando por que se adopte el castigo femenino de moda entre los patriarcas contemporáneos, los fascistas: raparle el cabello.

Los valores de la clase dirigente de este mundo novelesco son la riqueza, el poder y la posición social; determinan las normas de conducta y las relaciones entre los personajes a la vez que condicionan la relación que Matia pueda tener con ellos y con ese mundo. En su descripción de este sistema de valores, Matia comunica dos opiniones: primero, que tal sistema es endémico en todas las sociedades adultas, al menos de Occidente; y segundo, que los valores están jerarquizados, que algunos se cotizan más que otros, lo cual da lugar a una competitividad nociva. El hecho de que un sistema parecido impera en toda sociedad adulta queda demostrado cuando ella se identifica reiteradamente con ciertos personajes de los cuentos de hadas y leyendas infantiles del norte de Europa. Se compara siempre con los que se encuentran, como ella, en una crisis de transición, en un estado liminal o de umbral. La repugnancia que siente ella hacia el mundo de sus mayores lo sienten ellos, también; es típica de una persona de su edad y, la mayor parte de las veces, de su sexo; su caso es paradigmático, no extraordinario.

El que en ese mundo adulto unos bienes se precien por encima de otros lleva indefectiblemente a lo más aborrecible del mundo adulto: la discordia, la crueldad y el materialismo. Matia comparte con Wendy Darling la idea de que «dos es el principio del fin», idea que le lleva a abominar de este sistema jerárquico, que divide el mundo entre ganadores y perdedores, allegados y extraños. Al presentar este sistema de valores que ella debería internalizar en ese año, Matia lo comenta indirectamente, exponiendo su bajeza mediante el contraste con otras imágenes procedentes de 1) el mundo de su infancia —con su orden social más justo y más bueno—; 2) los cuentos de hadas, y 3) el Nuevo Testamento.

El valor principal del mundo de la novela es el dinero, que puede adoptar diversas formas [10]. A pesar de que la abuela se lamenta de su ruina financiera, nadie parece tomárselo en serio, ni tampoco da ella la impresión de estar apurada de dinero ($A = B$, pero $A \neq B$). Ya que la riqueza comporta el poder, ella goza de una posición de absoluta superioridad en el pueblo y en su casa. Al cruzarse con ella, los del pueblo la saludan con una reverencia; los profesionales buscan su favor; el cura está a su disposición. Y ella trata a sus sirvientes como si de objetos se tratara, disponiendo de sus vidas de la manera que mejor se ajuste a sus propios planes.

El servilismo de Borja está destinado a garantizarle la herencia del dinero de Práxedes. «No sé si Borja odiaba a la abuela, pero sabía fingir muy bien delante de ella. Supongo que desde niño alguien le inculcó el disimulo como una necesidad. Era dulce y suave en su presencia, y conocía muy bien el significado de las palabras *herencia, dinero, tierras*» (p. 13). Borja queda calificado de «mercader» incipiente tanto por su entusiasmo en acumular capital (robado) como por su ingenio en cuanto a la manera de esconderlo (dentro de una caja provista de cerradura envuelta en un impermeable, oculta en la bodega de un viejo barco, el *Joven Simón* —¿augura la traición final este nombre?—, varado en una cueva aislada de la costa cercana al pueblo). La llave de la caja que guarda sus «bienes inapreciables» la

[10] El hecho de que el dinero asuma distintas formas explica cómo una novela falta de actividad mercantil como *Primera memoria* puede formar parte de una trilogía titulada «Los mercaderes». Por otra parte, Díaz sugiere que «los "mercaderes" son tanto los que trafican y acumulan bienes materiales como los que intentan explotar las necesidades, los sentimientos o los ideales de otros para su propio beneficio [...]». En un sentido más profundo, según Díaz, la palabra abarca a todos los que viven sin ideales, reduciendo los valores humanos a la categoría de mercancía en venta (p. 132).

lleva colgada alrededor del cuello, de la misma cadena donde cuelga el otro símbolo de su condición de heredero, una medalla de la Virgen María, regalo de Práxedes (p. 30).

Jorge ha despilfarrado la mayor parte de su riqueza como el proverbial marinero borracho, pero continúa viviendo acomodadamente. Su *beau geste* final —que comporta una conversión directa de capital en poder— fue dar a Sa Malene un terreno en medio de las propiedades de Práxedes. Ése o algún otro asunto de dinero originó el distanciamiento entre Práxedes y Jorge, según cuenta Chino. Y, ya que su pelea nació de los intereses, es paradigmática, en la opinión de Chino, de la discordia social en general: «"¿Y por qué se enfadan los señores y los villanos?". Y frotó chabacanamente el índice y el pulgar» (p. 131).

La riqueza del tío Álvaro, como la del difunto abuelo de Matia, está explícitamente relacionada con su poder (pp. 102, 118); al igual que el abuelo, se codea con la realeza, viste uniforme, y preside todas las reuniones familiares, incluso estando ausente. Práxedes le consideraba un buen «partido» para Emilia, quien tenía dinero pero carecía de belleza (p. 102). Matia socava constantemente esta valoración positiva del tío haciendo notar su fealdad, «su mandíbula aguda y cruel» (p. 55), «sus ojos, demasiado juntos, los pómulos salientes que dolían sólo de mirarlos» (p. 153), su crueldad, incluso su ferocidad (pp. 104-06, 118). A pesar de que Matia forma parte de esta familia acaudalada, no es la heredera (A = B, pero A ≠ B); Borja es el único heredero. De aquí viene la preocupación de Práxedes por la otra baza de Matia, su «posible futura belleza [...] lo único que sirve a una mujer, si no tiene dinero», como le advierte a la chica (p. 102).

El segundo valor, vinculado como ya hemos visto con el primero, es el poder, en *Primera memoria* sinónimo de la familia de Práxedes. La anciana ejerce el poder familiar circunstancialmente, regente mientras dure la guerra, su cetro el bastoncillo de bambú con puño de oro que lleva siempre consigo. La huérfana Matia, desheredada e impotente, no puede entender por qué una mujer «firme como un caballo» (p. 11) usa bastón, pero el significado del objeto no escapa al primo Borja: cada vez que este falo lacaniano resbala y se cae cerca de Práxedes, el niño se precipita a recogerlo y lo devuelve a su lugar reverencialmente, «con rutina de niño bien educado» (p. 12). Es muy apropiado que la persona que lleva el falo de la familia tenga un nombre epiceno como «Práxedes», cuyo significado —«acción, empresa, éxito»— está tan vinculado con los hombres en su sociedad como lo están ella misma y su éxito final[11].

Una de las imágenes que refleja el poder de Práxedes, imagen por otra parte usual en la narrativa femenina, es la de la carcelera de ojos de lince, mujer que de víctima se convierte en victimario de las demás mujeres[12]. El control que ejerce sobre las otras mujeres de la novela, a excepción de Malene, nos proporciona otro ejemplo de la ecuación básica de esta narración, puesto que Práxedes = mujer, pero Práxedes ≠ «mujer». Naturalmente, Matia no es capaz de oponérsele, y Emilia no se atreve ni a bostezar abiertamente en su presencia: «casi se podía oír el crujido de sus dientes, fuertemente apretados para que no se le abriera la boca de par en par, como a las mujeres del declive. Decía de cuando en cuando: "Sí, mamá. No, mamá. Como tu quieras, mamá"» (p. 13). Práxedes controla la sexualidad de su hija con tanta firmeza como controla sus mandíbulas, habiendo prohibido su relación con Jorge a favor de la alianza con Álvaro, que ofrecía mayor solidez económica.

Si Práxedes es regente y carcelera, el comandante en jefe es Álvaro, el coronel, patriarca, oficial y carlista cuya potencia se hace sentir incluso durante su ausencia. La casa está llena de los emblemas de su cultura machista: látigos, sillas de montar, arneses, un correaje con hebillas de plata, una caja de habanos, su «intruso olor, a cuero y a cedro» (p. 107). En particular, Matia le asocia con aquellos horribles látigos que, junto al papel de señor de la casa, ha heredado del abuelo. «Aquellos látigos, ¿cómo podían pertenecer a nadie más que a tío Álvaro, con su afilada cara de cuchillo, con su boca torcida por la cicatriz?» (p. 105).

Matia sólo puede hacer conjeturas acerca de la relación entre Emilia y Álvaro, y al imaginar su intimidad experimenta escalofríos de terror y una extraña sensación de vergüenza (106-07). En la ausencia del poder de Álvaro, Emilia parece una muñeca gorda y desarticulada. Matia la recuerda «esperando, esperando, esperando, abúlicamente, con sus pechos salientes y su gran vientre blando.

---

[11] La etimología de «Práxedes» se encuentra en Tiburón, quien afirma que es nombre masculino. Sólo tengo información anecdótica acerca de su uso en catalán, según la cual puede servir para una mujer aunque su uso es infrecuente para hombre o mujer.

[12] La tía Angustias de la novela *Nada* es un personaje parecido. Así la caracteriza Ordóñez («Nada...», p. 71). Moers dice que la vieja tirana es un personaje clásico de la narrativa femenina (p. 239). Véase también Gilbert y Gubar (pp. 291-92, 407-09).

Había algo obsceno en toda ella, en su espera, mirando hacia la ventana» (p. 25). Emilia es una caricatura de la feminidad burguesa, con los adecuados atributos de diosa de la fertilidad, tal como señala James Stevens (p. 200). Las descripciones que Matia hace de Emilia siempre son negativas, a pesar de que espera llegar a ser exactamente igual que ella algún día (pp. 69, 109, 118).

Borja aprovecha la ausencia de su padre y la indulgencia de su abuela para incrementar su modesta reserva de poder. Pequeño y algo delicado, el chico no puede depender de la fuerza física para imponer su voluntad. En su lugar, despliega su astucia manipulando palabras (amenazas, insinuaciones maliciosas, mentiras), conocimientos (de las costumbres, morales y debilidades de la gente de su clase social) y privilegios familiares[13]. El nombre de Borja subraya su parecido a César Borja, en cuyo personaje Maquiavelo se inspiró, al menos hasta cierto punto, para su Príncipe. Hecho un Príncipe de la Oscuridad, Borja domina a los chicos de su banda puramente por ser nieto de la familia más destacada de la región (p. 141), y a Chino mediante el chantaje. En la economía de la novela, Borja es el Victimario, y Chino la Víctima, opuesto a Borja en casi todos los aspectos: es un extraño (como sugiere su nombre); un pobre desgraciado; masoquista y totalmente dependiente de Práxedes[14]. Por si

---

[13] Sustituir la fuerza física por la destreza en el campo discursivo o simbólico es la táctica empleada también por Edgar, el varón triunfador de *Cumbres borrascosas*. Cito del análisis de Gilbert y Gubar: «Emily Brontë demuestra que el poder del patriarca, el de Edgar, se origina en la palabra [...]. Éste no necesita un cuerpo fuerte ni convencionalmente masculino, ya que su dominio reside en libros, testamentos, contratos, títulos, lenguas, toda la parafernalia por la cual la cultura patriarcal pasa de generación en generación» (p. 281). A Edgar, igual que a Borja, se le describe frecuentemente como afeminado.

[14] La inferioridad social de Chino respecto de Matia y de Borja se patentiza en el asimétrico trato pronominal entre ellos; a pesar de ser mayor y preceptor de ellos, les trata de usted —práctica que llama la atención de Matia (p. 141)— mientras que ellos le tutean. (Véase Brown y Gilman.) El apodo de Chino también recuerda al viejo Chino del cuento de Hans Christian Andersen, «La pastora y el deshollinador». El Chino anderseniano era una estatuilla, jefe de las otras, y quería casar a la estatuilla de la pastora con un «General mayor-sargento-comandante-patas de chivo». Esto a su vez hace recordar el miedo de Matia de que la casen con «un hombre blando y seboso, podrido de dinero, o con un látigo bestial, como el tío [el coronel] Álvaro» (p. 118). La pastora del cuento intenta huir con la estatuilla del deshollinador, pero al ver el mundo de afuera de la casa, le entra pánico y decide volver a su estante. Matia, niña-que-no-quiere-ser-mujer, guarda como emblema de su niñez un muñeco negro, Gorogó; a él le ha puesto el apodo de Deshollinador.

fuera poco, también es homosexual. No puede menos que extrañar a la lectora atenta al contexto histórico de esta novela —escrita en 1960— que los censores hayan permitido a la autora describir una relación homosexual entre dos retoños de las «familias» más poderosas del régimen, la Iglesia y el Ejército. Porque Chino, ex seminarista, y Borja, hijo y heredero de un coronel nacionalista, comparten tal historia, que Borja explota continuamente para chantajear y dominar al preceptor.

Por linaje, inteligencia y formación Matia disfruta de una virtual igualdad respecto a Borja, y sin embargo lo percibe tan dominante que, en sus sueños, lo ve como a un fantástico titiritero que la lleva a rastras atada con una cadena (p. 23). De hecho, Matia no es su igual, porque si bien dispone de los mismos instrumentos culturales que Borja —en particular el lenguaje— no le ha sido enseñado utilizarlos como armas. Sus «conocimientos», a diferencia de los más pragmáticos del primo, se limitan a los cuentos de hadas y a la geografía. Pero por mucho, su más grave desventaja es su posición familiar equívoca, especialmente la falta de madre. Si en España es ésta la que inculca la vergüenza en los hijos (véase Pitt-Rivers, pp. 113-18), una chica sin madre puede considerarse una «sinvergüenza». Así se entienden las proposiciones deshonestas que le hace Juan Antonio precisamente al interrogarla acerca de su madre (p. 69). En la narrativa femenina, la huérfana de madre suele representar la vulnerabilidad, y Matia no es ninguna excepción [15].

El triunfo de Borja sobre Matia y sobre Manuel le viene asegurado por sus años de aprendizaje bélico: un aprendizaje a manos de su brutal padre, bajo el ojo avizor del cruel abuelo; en las escuelas militares, en las bandas militaristas; incluso en las partidas de ajedrez con Matia. Si bien sólo simulan jugar, Borja siempre «gana» (p. 19). Al final de la novela, estos simulacros de guerra (o de ajedrez) se han convertido en realidad, y Matia se declara vencida por Borja en términos no casualmente militares: «Borja ganó y yo perdí. Yo, perdí, estúpida fanfarrona, ignorante criatura. Entró tía Emilia»

[15] Gilbert y Gubar encuentran en la muchacha huérfana de madre —«indefensa frente al rechazo masculino» (p. 125)— una figura clásica de muchas novelas inglesas. Miller describe a la heroína de la narrativa del XVIII en palabras que recuerdan nuestra novela. Su característica más destacada es su «vulnerabilidad»: «La memoria —cuya autora es casi siempre huérfana— comienza frecuentemente con una exposición de la vulnerabilidad de la heroína encodificada como falta de experiencia, de protección, de dinero» («Exquisite...», p. 39).

(p. 201). La peculiar yuxtaposición de esta última frase sugiere cuán íntimamente relacionados están, para Matia, su destino de perdedora con el de Emilia. Al igual que su gorda tía, se volverá cada vez más pasiva, y empezará a vivir por cuenta de otro.

El tercer valor de este mundo novelístico es la posición social, hasta cierto punto dependiente del dinero y del poder, aunque ni el uno ni el otro la garanticen. La posición social no es un absoluto, como lo son en la isla el dinero y el poder, sino un índice —para utilizar el término de Gilmore—, que los demás atribuyen a uno. En este sentido es bastante parecido al honor e igual de frágil. La posición social depende de muchos elementos cualitativos, tales como el nivel de cultura, los antecedentes familiares, la ubicación y tipo de residencia (Gilmore, *People...,* cap. IV) y el dominio del código de conducta que se considera prestigioso. Puesto que a los miembros de la familia de Práxedes los tres primeros elementos les vienen más o menos dados, pero no así el cuarto (en particular por lo que a Matia respecta), éste adquiere en *Primera memoria* una gran importancia. La problemática relación entre la joven y el sistema de comportamiento constituye un elemento de conflicto tanto en el discurso (en el que funciona como parte del código hermenéutico, en términos de Barthes) como en la historia, en la medida en que define su relación con la abuela. Más adelante lo analizaremos con detalle.

A Práxedes le corresponde defender la elevada posición de su familia, dado que Emilia es demasiado infantil para contribuir a ello de un modo significativo. Juntas ensayan los ritos sociales de su clase, ejerciendo «este poder del conocimiento social» (McDonogh, p. 128) incluso en el vacío creado por la guerra, porque hay que marcar los límites, y hay que educar a los niños: el comportamiento público es importante, un *faux pas* es un desdoro para toda la familia. La preocupación con el código de comportamiento señala y concretiza uno de los temas básicos de la novela, el de la exclusión (efectuada ésta ya por la competición, ya por la jerarquía), dado que quien no domina el código de prestigio no puede aspirar a una posición superior. Se pueden identificar tres subtemas (o motivos) relacionados con el tema de la exclusión, también ejemplificados en la preocupación por el código de conducta: el de la simulación o hipocresía (sugerido, en primer lugar, en la falsificación del epígrafe); el de la vigilancia (negativa); y el de la imitación (positiva o negativa, dependiente del modelo, y no de la precisión imitativa). El disimulo, o sea, la confusión deliberada del *ser/parecer,* es corolario de la pública adjudicación de una cualidad preciada (la posición, el honor), como sabe cualquier lector/a de la literatura clásica española. El motivo de la vigilancia, cuyo prolijo desarrollo en esta novela tal vez deba algo a la circunstancia histórica de Matute (*cf.* n. 17), se encarna en Práxedes, espiando a los del pueblo con sus gemelos para la ópera. (Éstos constituyen por sí mismos índices de posición social, ya que en la burguesía catalana ir al Liceo es hacer gala de su rango.) Tanto sus ojos como su visión se describen repetidas veces, de distintas maneras, todas ellas muy negativas (véanse especialmente las pp. 53, 103, 175, 176, 181). Emilia también pasa mucho tiempo «espiando» y «vigilando» (pp. 54, 55); ambas mujeres tienen que estar al corriente de las actividades de sus inferiores, para no reproducirlas sin darse cuenta, y también deben «estar pendientes» de los niños, que tal vez no hayan internalizado completamente el sistema de comportamiento de su clase social.

El motivo de la imitación se da de un modo natural en una memoria de adolescencia, ya que los jóvenes aprenden por emulación, pero Matia subraya la naturaleza equívoca de esta imitación en un mundo en que el comportamiento adulto suele ser insensato, falso o malvado. En el paradigma de imitación de *Primera memoria*, el modelo original es el más vívido, el primer epígono menos, el tercero aún menos: Práxedes-Emilia-Matia; guerra civil-guerra insular-pandilla bélica; abuelo-Álvaro-Borja. Pocos son los personajes que evitan este ciclo degenerativo de mímica, y lo pagan caro: la madre de Matia, Jorge, Sa Malene y Manuel. Hacia el final de su narración, Matia demuestra su progresiva adaptación cuando dice de Manuel: «No era como nosotros, ni como los hombres. Era aparte. No podía ser» (p. 188). La originalidad o el inconformismo se ha convertido, por lo que a ella respecta, en una imposibilidad ontológica.

La relación de un código de comportamiento clasista con el tema de la exclusión queda clara. Tanto el empleo del código, como la segregación física de la elite que Gilmore detalla (y que la familia de Práxedes también ejemplifica) sirven «para mantener el aislamiento y la exclusividad social que son, de hecho, requisitos morales de una elevada posición social» («Social...», p. 440). Una ulterior estratificación se basa en el sexo y en la edad, como Matia aprenderá: las «señoritas» no deben comportarse como los niños pequeños ni como los «señoritos». El personaje de Matia experimenta todas estas divisiones convencionales como una pequeña muerte, una amputación de posibilidades (la propia muerte está considerada como otra división, p. 150).

Matia describe las convenciones del mundo de Práxedes desde la perspectiva de una intrusa que inesperadamente hubiera caído en él, como Alicia (con la cual se compara, pp. 62, 121, 184) en el País de las Maravillas. La imagen de la caída, del proceso de maduración visto como un largo e irresistible desliz, es constante en *Primera memoria*, empezando por el título de la I parte: «El declive». Matia llega a la árida isla procedente del arquetípico —y en su caso literal— «mundo verde»[16]. Práxedes abomina de este pasado natural y se encarga de la inmediata transformación levistraussiana de su «cruda» nieta en un «plato bien cocinado». La nubilidad de Matia añade urgencia a la tarea (a su edad, Práxedes tenía cuatro o cinco pretendientes, p. 182); en unos pocos meses hay que impartir años de aprendizaje y cientos de convenciones. «"Te domaremos", me dijo, apenas llegué a la isla. Tenía doce años, y por primera vez comprendí que me quedaría allí para siempre» (p. 14).

El análisis de uno de los aspectos de este código sociosexual, el que trata del cuerpo, nos dará una idea de su complejidad. La información que a Borja se le imparte sobre su cuerpo es muy diferente de la que se da a Matia; el cuerpo del chico le «pertenece» de un modo que a Matia no le pertenece el suyo. Nadie toca al muchacho ni se mete en su espacio físico a menos que él lo permita

[16] Annis Pratt toma este término de Northrop Frye, y lo emplea para describir el mundo paradisíaco gozado por la heroína en su infancia, en el cual ella convive en perfecta armonía con la naturaleza y en perfecta igualdad con sus compañeros (pp. 16-24). Véase también el artículo de Ordóñez, donde estudia la presencia del arquetipo del «mundo verde» tal como aparece en la novela de Concha Alós, *Os habla Electra*. Gilbert y Gubar se refieren al mismo período en la vida de la joven protagonista —antes de que su caída/expulsión del mundo de la naturaleza la entregue al mundo de la cultura— en palabras copiadas del Infierno de Milton en *El paraíso perdido*: es un estado sin jerarquías, «eterna y enérgicamente placentero» (p. 255). El mundo habitado por Matia y su muñequito, Gorogó, juntos con el aya Mauricia, se parece mucho a estas descripciones del «mundo verde», porque a pesar de sus diferencias raciales, sociales y ontológicas, han convivido como iguales, polimórficos y subversivos (pp. 15-17, 77, 99-100, 121-22, 195, 198). El idilio es terminado por una curiosa concatenación de circunstancias —todas ellas relacionadas con la llegada de Matia a su madurez biológica—, que nos recuerdan un cuento de hadas. Su anciana aya llena la casa de fragantes manzanas otoñales, para luego enfermarse y tener que convocar a una distante y temida abuela, la cual viene a arrebatar a la niña de su paraíso llevándola a una tierra extraña, sin darle tiempo de probar ni una sola de las maravillosas manzanas (p. 15).

(por ejemplo, a Matia, pp. 179, 200; a Chino, pp. 27, 149; a Antonia, p. 145; a mosén Mayol, p. 203). De lo contrario se considera una provocación (con Jorge, p. 171; la banda de Guiem, pp. 96, 138-42, 172). Que Borja sea consciente de su inviolabilidad física lo prueba su decisión de utilizar su propio cuerpo como escondite ideal para la llave de su caja. El cuerpo de la mujer, desde luego, no puede nunca describirse como in-violable, tema que se retomará en el capítulo 6.

Nadie comenta de modo desfavorable la apariencia de Borja, a pesar de que parece ser bastante bajito, algo simiesco, y tener unos colmillos largos y feroces como la abuela. Se le considera muy guapo, tal vez excesivamente guapo para un chico (p. 154). Parece tener libertad de hacer lo que quiera físicamente: 1) recorre toda la isla, cubriéndose de arañazos y de quemaduras del sol; 2) pasa noches enteras fuera de casa con compañeros de mala reputación; 3) recibe una considerable cuchillada en el antebrazo en una de sus peleas; 4) tiene una relación sexual con Chino. Nunca le regañan por dichas actividades, ya sea porque se consideran normales en un chico (1 y 2), o bien porque no son detectadas (3 y 4) debido a su talento en encubrir las cosas y al hecho de que, por ser chico, no se le vigila tanto como a Matia.

Cuando les pillan a ambos en la misma infracción del código corporal —emborrachándose en casa de Jorge— a Borja se le perdona inmediatamente mientras que Matia recibe un castigo físico (p. 181). El guardarropa de ambos es variado casi ritualmente para señalar su pasaje a la edad adulta (el cambio de guardarropa como señal de cambio de estatus es frecuente en la novelística de Matute, como señala Díaz). Los nuevos pantalones largos de Borja le proporcionan otra forma de encubrimiento, que seguirá aumentando cuando sea un adulto vestido de uniforme militar o de traje sastre. Matia, por su parte, se ve obligada a cambiar de un odioso corte de falda que constriñe el movimiento a otro igualmente incómodo. De no haber desafiado la convención, que exigía medias en vez de calcetines para las señoritas, sus piernas se habrían puesto aún más al descubierto. Su perspectiva de vestuario viene dada por Emilia, con aquel traje de seda negro que acentúa sus amplias caderas, y por Práxedes, «atrapada como una ballena» en su corsé (p. 64).

El bienestar y la autonomía física de Matia quedaron atrás, en el mundo verde junto a su teatro de marionetas. Allí ella era la titiritera, pero en la isla es Práxedes quien mueve todos los hilos (véase, en particular, p. 53). Las demás mujeres intentan convencerla de que está enferma (pp. 63, 177), preparándola para el papel femenino de «enfermedad e incomodidad» (véase la discusión de Gilbert y Gubar acerca de este motivo, pp. 53-59). Se le enseña que no posee ningún derecho de propiedad sobre su propio cuerpo. En la escena más dramática de este aprendizaje Práxedes le da lecciones acerca de los andares apropiados, utilizando el bastoncillo de bambú como férula. Durante estas lecciones Matia se siente una mercadería bajo escrutinio; como cualquiera de las mulas que se ponen en venta los días del mercado en el pueblo (p. 103).

Las proporciones de su cuerpo son comentadas *ad libitum* (y siempre de manera negativa) por Práxedes, Emilia, e incluso Antonia, la sirvienta. Se critica que su piel esté arañada y quemada por el sol (pp. 63, 103), y que tenga los cabellos demasiado lacios (p. 103). En la misma cultura en la cual unos siglos antes tocarle la barba a un hombre era una afrenta tan grave como ponerle cuernos, nadie respeta los cabellos de Matia: Antonia y Emilia no tienen reparos en tocárselos sin pedirle permiso, y Práxedes ordena que se le corten como si de tantos centímetros de tela se tratara. Todas estas pequeñas injurias cobran su verdadero sentido cuando las sumamos a otra, un repetido gesto de la abuela, cuya equivalencia a la violación es patente: «la abuela solía meter su dedazo huesudo» (p. 102) en la boca de la chica en busca de caramelos (prohibidos ahora que Matia es ya una jovencita). Emilia forcejea físicamente con Matia para descubrir qué es lo que lleva alrededor del cuello, sin detenerse cuando Matia se echa sobre la cama boca abajo para proteger su «secreto» (que es su muñeca, p. 107). En la isla, la integridad física de Matia se ve constantemente atacada, con unas acciones que van desde el manoseo relativamente inofensivo de sus cabellos por parte de Antonia, hasta la sacudida por parte de Borja o los intentos de Juan Antonio por acariciarla: se le está enseñando cómo llegar a ser una señorita.

El motivo del encarcelamiento, tan frecuente en la literatura femenina, está relacionado en *Primera memoria* con la progresiva pérdida de autonomía corporal de Matia[17]. Cuando la abuela le dice

---

[17] Según Paul Ilie, este motivo también puede estar relacionado con el hecho de que Matute haya vivido como exiliada interior en la España franquista: «Para comprender las profundidades míticas de [*Primera memoria*], con su poderoso tema del prisionero y con sus vuelos de nostalgia, hace falta manejar un concepto del exilio interior, ya que éste puede fusionar las experiencias estratificadas de la cultura» (p. 163).

que no puede sumarse a las excursiones de los chicos porque es demasiado mayor «para pasar tres noches fuera de la casa [...] el detalle de pasar las noches fuera de casa parecía muy importante» (p. 85), Matia empieza a generar toda una serie de conexiones cruciales, una gramática que da sentido a los semas aislados del código corporal que ha estado aprendiendo. Dichas conexiones, que desde el principio han estado muy claras en su subconsciente, en el texto están representadas por la configuración noche/cama (habitación)/encarcelamiento/reglamentación/terror (ahogo), cuyo significado psicosexual no cuesta demasiado entender. La elaboración de esta *gestalt* pertenece a los códigos sémicos y simbólicos de la novela, según la terminología de Barthes. Sémicos porque explican el personaje de Matia, y simbólicos porque indican el discurso que ella (y todas las adolescentes) deben dominar.

La primera pieza de esta *gestalt* o configuración significativa es la amplia cama de hierro en que pasó su primera noche en la isla, después de que Práxedes le advirtiera que iba a ser domada: «me amedrentó [sema: miedo] como un animal desconocido [...] con sus sombras enzarzadas [...] como serpientes, dragones, o misteriosas figuras que apenas me atrevía a mirar» (p. 15). De repente ve una columna de hormigas [sema: reglamentación] subiendo por la pared, y reacciona con terror; terror que queda reflejado con toda fidelidad en la sintaxis disyuntiva de su exposición: «de pronto, la cama y sus retorcidas sombras en la pared, hacia las que caminaban las hormigas, de pronto —me dije—, la cama estaba enclavada en la isla amarilla y verde [sema: encarcelamiento]». También su habitación le parece una prisión, con sus cortinas a rayas y sus persianas que no pueden cerrarse del todo. Entra la luz como a través de unos barrotes, dándole una sensación de «angustia» y de «ahogo» (pp. 60, 146, 208). Esta configuración que enlaza la cama con el sexo y el ahogo ya está establecida cuando la narradora empieza a describirnos las bochornosas tardes pasadas con la tía Emilia en su habitación (pp. 105-10). Matia describe la falta de ventilación de la habitación, sus cortinas cerradas, y luego nota la repentina y violenta intrusión de una presencia «brutal y cruel», asociada con Álvaro, sus látigos, y todo lo que se imagina que sucede entre él y Emilia cuando están en la cama.

Unos momentos después, mirando de hito en hito a la tía adormecida a su lado, se da cuenta de que hay una mosca en la habitación, «apresada entre los pliegues del visillo y el cristal, sin poder escaparse». Punto y aparte continúa: «Me incorporé poco a poco, ladeándome para mirarla», confundiendo a propósito a la mosca con su tía mediante la utilización del pronombre «la» inmediatamente después del antecedente «mosca», cuando en realidad se está refiriendo a Emilia. Ve a su tía atrapada, como lo estará ella misma por (el significado cultural ligado a) su sexo o género. Es significativo que vuelva a percibir una mosca atrapada al final de la memoria, cuando explica cómo Borja había comenzado a estrechar la red de complicidad y traición a su alrededor (pp. 198, 201).

El dinero, el poder y la posición social definen, pues, el mundo al que Matia se enfrenta por primera vez al llegar a la isla. El gran tema de la novela, el de la guerra —separación, división, competición, exclusión— es la suma de la miríada de contiendas por estos tres bienes. A pesar del odio que le inspira toda forma de disyunción, incluso la joven Matia es arrastrada a la batalla, precisamente para luchar en contra de dichos valores. En la última parte del presente análisis se describirán los principios que abrigaba Matia, el personaje; el «contra-código» al que intentaba aferrarse (junto con su muñeca, Gorogó) en un entorno extraño. Matia la narradora rinde su último homenaje a aquellos valores del mundo verde conjurándolos en esta memoria escrita que es la novela, donde se alinean en mudo reproche junto a los ejemplos de la falta de rectitud de los adultos.

III

Durante las semanas de su intimidad con Manuel, Matia experimenta de modo recurrente una sensación de su infancia que había olvidado, una angustia que solía invadirla a la hora crepuscular del atardecer, cuando el mundo infaliblemente se revelaba dividido en dos: «El día y la noche, el día y la noche siempre. ¿No habrá nunca nada más? Acaso me volvía el mismo confuso deseo de que alguna vez, al despertarme, no hallara solamente el día y la noche, sino algo nuevo, deslumbrante y doloroso. Algo como un agujero por donde escapar de la vida» (p. 153). A punto de cruzar el umbral de la edad adulta, estado que ella entiende como dicotomización sexual obligatoria, experimenta ahora la misma sensación angustiosa: no hay escapatoria.

El mundo ideal de Matia se caracteriza por el término opuesto de la dicotomía: la unidad. En el orden sexual, por la androginia; en el político, por el no-partidismo; en el social, por las relaciones de amor, igualitarias y no enjuiciadoras; en el natural, por la unidad con todos los órdenes de vida. En tanto que hija única de padres divorciados —su madre muerta en edad temprana y su padre ausente—, ella misma ha vivido una vida de disyunción y pérdida, pero todos los cuentos infantiles que ha leído describen un mundo en el que, al menos al principio, no hay divisiones. Ha ignorado los finales de estas historias, con sus aleccionadoras visiones de la vida más allá de la infancia, fijándose, en cambio, en las alegres proezas de andróginos prepúberes —Kay y Gerda, Peter y Wendy, el Deshollinador y la Pastora, Adán y Eva antes de la caída—, o de una niña muy valiente y muy querida: la Sirenita, Pulgarcita, Elisa de los Cisnes Salvajes, Alicia. Sólo al llegar al final de su propia historia recordará los tristes desenlaces de las leyendas, en los que la chica termina o domesticada o muerta (tema que se examinará luego).

Inspirada por estas historias, Matia anhela encontrar a su «otra mitad» (el hermano-amado o amante espiritual descrito por Jung), y mira primero a Borja. Además de la sangre comparten una edad difícil; un momento, en la historia, anómalo y portentoso; una sensación de ser «víctimas de alguna extraña emboscada» (p. 18). Él tiene algunos rasgos femeninos (pp. 19, 49, 144, 154), y ella algunos masculinos (pp. 49, 52, 63); a veces se comunican casi por telepatía. Llevan medallas gemelas, regalo de Práxedes. La de Borja era de la Virgen María, la de Matia de Jesús. «"Es igual que la mía" —dijo él, el primer día que las vimos el uno en el otro—. "Con otro Santo...". Estuvimos mirándolas, la mía en su mano, la suya en la mía. Era como si de verdad, por un momento, fuéramos hermanos» (p. 48). Y sin embargo, en aquella pequeña diferencia de sus medallas está cifrada la orden de su eventual des-integración; como sus santos, ellos también tendrán que ser de géneros «opuestos» y desiguales, según el tabú que prohíbe la semejanza entre los hombres y las mujeres, explicado por Gayle Rubin. A pesar de las apariencias, entonces, Matia ≠ Borja.

Matia casi siempre se refiere al mundo adulto como el mundo de «los hombres y las mujeres» (pp. 98, 107, 122, 140), sugiriendo que para ella la división en géneros exclusivos es una de las principales características de la edad adulta. Si Borja no puede ser su alma gemela se debe, hasta cierto punto, a que él ya se ha introducido en este mundo dicotómico: tiene conocimiento de «las feas cosas de los hombres y de las mujeres» (p. 125). Matia cierra los oídos a estas «feas cosas» en la esperanza de que la ignorancia tal vez la inmunice contra la enfermedad del crecimiento (pp. 69, 106-07, 117, 122, 147, 201). Pero su cuerpo la traiciona. Metamorfoseándose como el cuerpo de un insecto, el suyo le hace sentirse un «monstruo» híbrido atrapado entre la infancia y la edad adulta. Tanto la obsesiva observación de su cuerpo desnudo en el espejo, como el despectivo autodenominarse monstruo, delatan el disgusto que su propia imagen le produce, una reacción típica de las adolescentes. El motivo de la autocontemplación o narcisismo y el del cuerpo monstruoso, son tópicos de la narrativa femenina (véase Gilbert y Gubar, pp. 3-44).

Otro de los componentes del mundo ideal de Matia es el íntimo contacto con la naturaleza, o la libertad, que para ella son una misma cosa. Ama los recuerdos de su tierra perdida, donde se sentía querida y en su elemento (p. 98), pero también ama la árida belleza de la isla. Al mismo tiempo, tiene miedo de algunos de los elementos violentos del entorno natural insular, elementos que, sin lugar a dudas, están relacionados con la configuración de los semas verano/madurez sexual/la caída. El sol es siniestro, feroz; hace temblar a las flores (pp. 34, 67, 77). El viento la asusta; lo siente atravesar su oscura habitación, trepando por la pared como un animal (p. 77). Al hablar del terror que le infunde el mar, Matia hace explícita su conexión con la edad adulta (p. 122)[18].

Toda la gente que Matia quiere o admira tiene una relación especial con el mundo natural, a excepción de Borja. Mauricia es una «bruja», en el sentido positivo que las feministas francesas han dado al término: conoce buenos remedios, puede convertirse en cuervo, y por encima de todo, es la guardiana de la memoria preternatural que Matia va perdiendo en su proceso de aculturación[19]. Jorge encarna

---

[18] Véase también la p. 97. Según Margaret Jones, de todas las imágenes naturales que se encuentran en la obra de Matute, el sol tiene «el papel más destacado» (p. 117). Thomas desarrolla la idea del sol como «colaborador supernatural que ayuda en el proceso de maduración de Matia» (p. 154). Tanto el sol como el viento se asocian con lo masculino en la psicología jungiana, lo cual compagina perfectamente con nuestra interpretación. Esta descripción del viento recuerda la imagen del viento lujurioso pintada por García Lorca en su poema «Preciosa y el aire». Dada la admiración que Matute sentía por Lorca (Díaz, p. 27), no sería difícil que lo evocara a conciencia.

[19] Pp. 16-17; 99. Una introducción a la bruja tal como figura en la crítica contemporánea se encuentra en las páginas 199-203, 220-22 de la antología de Marks y Courtivron. El tema de la búsqueda por parte de la mujer de su memoria perdida —«desmembrada, des-rememorada, desintegrada» por dictado patriarcal, en palabras

la libertad/naturaleza, de aquí su repetida caracterización como el viento, su identificación con su barco *Delfín* y con las dulces uvas, con el vino y las rosas de su propiedad. Los del pueblo hablan de este ser libre, sumo inconformista —o sea, hereje— en palabras más sencillas: demonio, embrujado, brujo, loco; como un dios, como el viento. A la manera del «Viajero» de Machado, Jorge ha aprendido y sufrido la lección del tiempo durante sus viajes por mar, una lección que imparte al embelesado grupo de chiquillos que han hecho de la visita a su finca una peregrinación. De ellos, sólo Matia la aprovecha. Ella había esperado encontrar en él un matador de dragones, un héroe capaz de eliminar todos los reptiles que amenazaban su permanencia en el jardín de la infancia[20]. En su lugar, encuentra a un anciano semiparalizado que a pesar de todo consigue reconciliarla con el paso del tiempo. Lo logra mediante la paradoja de su propia desgarradora nostalgia del pasado. El dolor que él siente ante el paso del tiempo ratifica el de Matia. Y, por último, lo consigue porque la conmueve románticamente, de hombre a mujer: «Aquello —me dije— tal vez era lo que los adultos llamaban el amor. No podía saberlo, pues nunca amé a nadie. No me atrevía a moverme para que su brazo no se deslizara de mis hombros, para no perder aquel brazo, como si fuera todo lo que me unía a la vida» (p. 168).

Manuel había renunciado a la libertad que su padre natural le ofrecía, eligiendo en su lugar el cultivo de la tierra, con la cual Matia le asocia (pp. 35, 117). En cambio, la conexión entre Borja y la tierra es abstracta: un día será suya. Mientras que Borja toma baños de sol

---

de Gilbert y Gubar— es otro tema clásico en la literatura de mujer (pp. 58-59, 97-101).

[20] Es interesante notar hasta qué punto los reptiles se asocian en la literatura de Occidente con transformaciones indeseables, desde la serpiente del Edén hasta el Leviatán (considerado en el capítulo 6) e incluyendo el cocodrilo de *Peter Pan*. Éste no sólo representa el peligro de una muerte violenta y rápida, sino la todavía peor por inevitable amenaza del envejecimiento, la transformación indeseable por antonomasia. Ya que esta bestia ha tragado un reloj, su presencia se acompaña por un sonoro tictac —recuerdo constante del tiempo que vuela— más aterrador para el capitán Garfio que sus poderosas quijadas. En el caso de nuestra protagonista, los reptiles se asocian indefectiblemente con la «caída» dentro del mundo del tiempo (p. 140). Otros reptiles identificados por ella incluyen: Práxedes; «las sombras enzarzadas de la cama, como serpientes, dragones [...]» (p. 15); la cabeza de dragón que decoraba el pozo de Práxedes, donde Matia creía poder «oler el oscuro corazón de la tierra» (p. 92); el lagarto que les observa a ella y a Manuel durante su primera tarde de intercambio de confianzas; «el terrible dragón de San Jorge, en la vidriera de Santa María» (p. 125); y, por fin, Borja mismo.

por motivos cosméticos (p. 32), Manuel está qu
tanto trabajar. Borja y Matia charlan en la logi
Joven Simón; Manuel y Matia siempre se encue
pasan horas enteras en silencio, estrujando l
Manuel entre sus palmas entrelazadas (p. 186).

Borja se aprovecha del amor que Matia sien
(además de su ignorancia en los asuntos munda
palabra «amante») para asustarla y forzarla a ac
dice que si él revela que tiene dos «amantes», l
entorno natural durante largos años, por «p
demasiado ignorante para rebatir este absurdo
de una mosca, se da cuenta de que también ella
en una trampa de la cual no puede salir ind
Borja, pierde su libertad (la naturaleza); si l
pierde su libertad (autonomía). Llegado a este p
el lector está casi convencido de la impotenc
discurso vuelve a plantear una duda: ¿por qu
Borja le dice ahora, cuando siempre le ha consi

El no-partidismo es otra de las característic
Matia. Al contrario que sus familiares, durant
pone automáticamente del lado de nadie. Pre
declara republicana simplemente para mantene
del poder en su relación. Durante la misa qu
nacionalista, Matia reflexiona acerca de la guer
dije—, ¿qué cosa será, verdaderamente, la guer
ojos y busqué una plegaria. "Mis amigos [...]",
corté. ¿Qué amigos, Dios de los Ejércitos, q
(pp. 69-70). Pertenece a la pandilla de Borj
cuando se trata de participar en las peleas de l
donde unos siglos antes los cristianos quemab
No puede participar ni en la guerra civil, que s
mente, sintagmáticamente en la novela, ni
pandillas, que es paradigmática y se prolonga
Lo que la perturba es la división en sí, n
ideologías, que en cualquier caso tampoco en

---

21 La posición de Matia nos recuerda la de la escrito
Richardson tal como la describe Showalter: «Para ella,
otros sólo demostraba la mayor amplitud de la mujer, su
atemporal más allá del flujo ideológico. "Las ideas y

la libertad/naturaleza, de aquí su repetida caracterización como el viento, su identificación con su barco *Delfín* y con las dulces uvas, con el vino y las rosas de su propiedad. Los del pueblo hablan de este ser libre, sumo inconformista —o sea, hereje— en palabras más sencillas: demonio, embrujado, brujo, loco; como un dios, como el viento. A la manera del «Viajero» de Machado, Jorge ha aprendido y sufrido la lección del tiempo durante sus viajes por mar, una lección que imparte al embelesado grupo de chiquillos que han hecho de la visita a su finca una peregrinación. De ellos, sólo Matia la aprovecha. Ella había esperado encontrar en él un matador de dragones, un héroe capaz de eliminar todos los reptiles que amenazaban su permanencia en el jardín de la infancia [20]. En su lugar, encuentra a un anciano semiparalizado que a pesar de todo consigue reconciliarla con el paso del tiempo. Lo logra mediante la paradoja de su propia desgarradora nostalgia del pasado. El dolor que él siente ante el paso del tiempo ratifica el de Matia. Y, por último, lo consigue porque la conmueve románticamente, de hombre a mujer: «Aquello —me dije— tal vez era lo que los adultos llamaban el amor. No podía saberlo, pues nunca amé a nadie. No me atrevía a moverme para que su brazo no se deslizara de mis hombros, para no perder aquel brazo, como si fuera todo lo que me unía a la vida» (p. 168).

Manuel había renunciado a la libertad que su padre natural le ofrecía, eligiendo en su lugar el cultivo de la tierra, con la cual Matia le asocia (pp. 35, 117). En cambio, la conexión entre Borja y la tierra es abstracta: un día será suya. Mientras que Borja toma baños de sol

---

de Gilbert y Gubar— es otro tema clásico en la literatura de mujer (pp. 58-59, 97-101).

[20] Es interesante notar hasta qué punto los reptiles se asocian en la literatura de Occidente con transformaciones indeseables, desde la serpiente del Edén hasta el Leviatán (considerado en el capítulo 6) e incluyendo el cocodrilo de *Peter Pan*. Éste no sólo representa el peligro de una muerte violenta y rápida, sino la todavía peor por inevitable amenaza del envejecimiento, la transformación indeseable por antonomasia. Ya que esta bestia ha tragado un reloj, su presencia se acompaña por un sonoro tictac —recuerdo constante del tiempo que vuela— más aterrador para el capitán Garfio que sus poderosas quijadas. En el caso de nuestra protagonista, los reptiles se asocian indefectiblemente con la «caída» dentro del mundo del tiempo (p. 140). Otros reptiles identificados por ella incluyen: Práxedes; «las sombras enzarzadas de la cama, como serpientes, dragones [...]» (p. 15); la cabeza de dragón que decoraba el pozo de Práxedes, donde Matia creía poder «oler el oscuro corazón de la tierra» (p. 92); el lagarto que les observa a ella y a Manuel durante su primera tarde de intercambio de confianzas; «el terrible dragón de San Jorge, en la vidriera de Santa María» (p. 125); y, por fin, Borja mismo.

por motivos cosméticos (p. 32), Manuel está quemado por el sol de tanto trabajar. Borja y Matia charlan en la logia de su casa, o en el *Joven Simón*; Manuel y Matia siempre se encuentran al aire libre, y pasan horas enteras en silencio, estrujando la piedrecilla azul de Manuel entre sus palmas entrelazadas (p. 186).

Borja se aprovecha del amor que Matia siente hacia la naturaleza (además de su ignorancia en los asuntos mundanos, codificados en la palabra «amante») para asustarla y forzarla a aceptar su complot. Le dice que si él revela que tiene dos «amantes», la encerrarán lejos del entorno natural durante largos años, por «pervertida». Matia es demasiado ignorante para rebatir este absurdo, y al oír el zumbido de una mosca, se da cuenta de que también ella está atrapada, cogida en una trampa de la cual no puede salir indemne: si no acepta a Borja, pierde su libertad (la naturaleza); si lo acepta, igualmente pierde su libertad (autonomía). Llegado a este punto de la narración, el lector está casi convencido de la impotencia de Matia, pero el discurso vuelve a plantear una duda: ¿por qué Matia cree lo que Borja le dice ahora, cuando siempre le ha considerado un embustero?

El no-partidismo es otra de las características del mundo ideal de Matia. Al contrario que sus familiares, durante la guerra civil no se pone automáticamente del lado de nadie. Presionada por Borja, se declara republicana simplemente para mantener un cierto equilibrio del poder en su relación. Durante la misa que celebra una victoria nacionalista, Matia reflexiona acerca de la guerra: «"La guerra —me dije—, ¿qué cosa será, verdaderamente, la guerra?" [...]. Levanté los ojos y busqué una plegaria. "Mis amigos [...]", empecé a decir; y me corté. ¿Qué amigos, Dios de los Ejércitos, qué amigos son esos?» (pp. 69-70). Pertenece a la pandilla de Borja, pero para en seco cuando se trata de participar en las peleas de la Plaza de los Judíos, donde unos siglos antes los cristianos quemaban vivos a los judíos. No puede participar ni en la guerra civil, que se extiende horizontalmente, sintagmáticamente en la novela, ni en la guerra de las pandillas, que es paradigmática y se prolonga a través de la historia. Lo que la perturba es la división en sí, no los detalles ni las ideologías, que en cualquier caso tampoco entiende (p. 96)[21].

[21] La posición de Matia nos recuerda la de la escritora norteamericana Dorothy Richardson tal como la describe Showalter: «Para ella, esta apertura a las ideas de otros sólo demostraba la mayor amplitud de la mujer, su comprensión de la unidad atemporal más allá del flujo ideológico. "Las ideas y las opiniones son cosas de

En la memoria de Matia, Borja encarna el partidismo, no sólo porque es su opuesto en vez de ser el complemento que ella buscaba, sino también porque se siente obligado a tomar partido ante cualquier asunto. Mientras que Práxedes es un paladín pasivo de los valores reaccionarios de su familia, Borja es un militante, y no puede tolerar la indiferencia en los que le rodean (p. 133). Del mismo modo que se sintió obligado a cambiar la posición no combativa de Manuel, intenta polarizar a todos cuantos le rodean. Por encima de todo, se esfuerza en diferenciarse de los demás y en establecer su propio territorio.

El no-partidismo es una virtud pasiva en la mente de Matia, cuya contrapartida activa es el amor. Han influido en la plasmación de sus ideas acerca de este sentimiento dos mitos culturales, el más simple de los cuales es un cuento de hadas, «La sirenita», y el otro el Nuevo Testamento. El primero parece indicarle que existe una fórmula para conseguir el amor o un «alma inmortal». La sirenita se mutila para ganar el amor de un príncipe; sacrificando su lengua (expresión no censurada), su cola (libertad de movimiento), su hogar (el mundo verde), y su vida entera a este fin; la sirenita es paradigma de la adolescente y Matia la toma como modelo. En tres momentos críticos de esta memoria se compara a sí misma con la sirenita en busca del amor: durante el oficio eclesiástico (donde el amor cristiano brilla por su ausencia y Matia se da cuenta de que no tiene amigos); al contemplar la traición de Manuel (p. 188); y al aceptar su derrota en la persecución de sus ideales (p. 209). La sirenita perdió a su príncipe, pero la suerte de Matia es más equívoca: por una parte, gana a Borja, pero éste es en el mejor de los casos un príncipe de la oscuridad; por otra, pierde a Manuel, y él era su alma inmortal.

El segundo mito que ha conformado sus ideas sobre el amor es el Nuevo Testamento, que describe un amor que «todo lo sufre, que todo lo cree, que todo lo espera y todo lo soporta» [22]. Esta clase de

---

hombres", escribió en *Revolving Lights*. "A las mujeres no les importan realmente [...]. Las mujeres pueden sostener todas las opiniones al mismo tiempo, o cualquiera, o ninguna. Es porque ellas ven las inmutables relaciones entre las cosas más que las mudables cosas mismas"» (*Literature...*, p. 251).

[22] 1 Corintios, 13. Díaz subraya que la llamada al cristianismo, al mandato de «quereros unos a otros», es una constante en la obra matutiana. «Ella cree que la caridad [...] es mucho más que dar limosna, y que abarca muchas relaciones humanas, y sobre todo incluye el derecho de todos a tener las necesidades básicas de la vida y a gozar de un trato digno y equitativo» (p. 147).

amor apenas se ve en el mundo adulto que Matia observa: Práxedes ruega a «un dios de su exclusiva invención y pertinencia» (p. 13), mientras sigue enjuiciando, humillando, y anatemizando a los demás. Sólo Antonio y Chino, los miembros más humildes de su casa, y Manuel parecen capaces de sentir un verdadero amor (p. 145). Matia los observa con envidia, y reacciona negativamente cuando se enfrenta a las manifestaciones de su amor (pp. 80, 126, 145). Manuel, en particular, la deja perpleja cuando la acepta con amabilidad, en lugar de recibirla enfadado, o de rechazarla como perteneciente al «otro bando». Empieza el capítulo que relata su primer encuentro con él con estas palabras: «Tal vez lo que me desconcertó fue que no estuviese furioso». Se acerca al chico, que está en el terreno de Práxedes, y cuando no la agrede, piensa «"No está furioso". Sólo había en él una oscura tristeza, no por sí mismo enteramente, sino que, acaso, también por mí; como si me abarcase y me uniera a él, apretujándome [...]. En aquella tristeza cabían mis trenzas mal atadas [...]; mi blusa mal metida dentro de la falda; mis sandalias con las tiras desabrochadas [...]; y aquel sudor que me bañaba» (p. 114).

El movimiento final del capítulo invierte simétricamente el comienzo; Manuel se despide y se retira hacia su casa, pero Matia sigue esperando un desaire que no llega a materializarse. A nivel de la narración, la identidad entre el fin y el principio del capítulo sugiere una serie potencialmente infinita, el movimiento perpetuo de Manuel perdonando/aceptando a la pobre niña rica, sea cual fuere su ofensa. Esta conclusión se confirma a nivel del argumento, que nos presenta a un Manuel que perdona, contemporiza, y ofrece la otra mejilla, incluso cuando lo llevan a la cárcel. Parece desafiar la ley de imitación que Matia ha observado en los demás, por la cual la intensidad del original queda degradada en los epígonos. Como su homónimo Emmanuel, Manuel no deja de amar ni una sola vez. Desde el día en que le fueron explicadas las «reglas del juego», se ha ocupado de los asuntos del Padre, resistiendo con pasividad la injusticia del juego de la vida. Le explica a Matia que esta desigualdad empieza cuando uno nace en la riqueza o en la pobreza, en uno u otro bando. De esta injusticia inicial, sintetizada en su (ahora ya no) paradójico «¡Porque no se escoge la familia, se la dan a uno!», se derivan todas las otras. La ventaja de un jugador infaliblemente implica la desventaja de otro; el accidente de su propio nacimiento le ha dado la oportunidad de jugar a ambos lados del tablero, pero sus hermanos no han tenido el mismo privilegio.

En este apasionado discurso, Manuel se revela como la personificación del amor igualitario soñado por Matia. Él, no Borja, es su alma gemela, alguien que ha perdido un teatro de marionetas y se ha emocionado con viajes imaginarios como lo ha hecho ella, alguien que puede coger tiernamente a Gorogó y compartir con ella su piedrecilla azul. Alguien que rehúye la competitividad, que sólo ha tomado partido una vez en toda su vida, y por caridad; alguien que ha renunciado al dinero, al poder y a la posición social. Por fin le ha encontrado, pero es demasiado tarde. A pesar de sí misma, Wendy ha crecido demasiado para volar[23]. La reacción de Matia ante el discurso de Manuel presagia el trato que le dará al final, y nos indica hasta qué punto ha llegado su aculturación (o metamorfosis). Le dan miedo sus ideas acerca de aquel «pavoroso, aterrador mundo con que nos amenazaban a Borja y a mí», por tanto, utilizando una vez más el sistema defensivo del avestruz, cierra los oídos a sus palabras: «A mi pesar, no le entendí» (p. 124). En aquel momento, las palomas de Práxedes (símbolos de la paz, del amor y de la libertad en la novela) pasan volando por encima de sus cabezas, y la narradora explica al lector —en un lenguaje tomado de cuento de hadas— que Matia experimentó un cambio inexplicable en su corazón, como Kay de «La Reina de las Nieves», cuyo ardiente corazón se convirtió en hielo al ser traspasado por una brizna de espejo mágico. Con esta comparación, sugiere que el cambio tuvo una motivación externa, como el experimentado por Kay; que, al igual que el protagonista del cuento, ella era una pobre víctima. «Algo vibró en el aire, como gotas de un cristal muy fino», dice, e inmediatamente empieza a volverse en contra de Manuel.

Matia utiliza la misma ley de complementariedad de los opuestos que Manuel acaba de condenar para clasificarlo como su enemigo, razonando que si él es «bueno», ella debería considerarse «mala»,

---

[23] La piedrecilla azul de Manuel recuerda objetos similares en otras obras femeninas, descritos por Moers, y siempre asociados con una mujer: «La diminuta avellana o nuez, la piedra viva, alguna miniatura preciosa que se acaricia con la mano o se tira en furia» (p. 244). En el caso de Manuel, la piedrecilla funciona como signo de su androginia.

Como veremos en el capítulo 4, Esther Tusquets retoma y reelabora el tema de la trágica pérdida de la capacidad de volar por parte de la joven Wendy en su novela *El mismo mar de todos los veranos*. *Primera memoria* es indudablemente el intertexto más importante de la novela de Tusquets, quien se ha confesado muy admiradora de Matute («Ana María...», p. 71).

junto con Chino y Borja. Antes que aceptar esta opinión de sí misma, empieza a desacreditarlo mentalmente. Hace que la siga, subordinado y dependiente, explotando sus asimetrías políticas, psicológicas y sexuales. De repente, al subyugar a otro ser humano, empieza a sentirse segura de sí misma (p. 127).

Así pues, para Matia ambos mitos informadores resultan falsos. Gana a su príncipe pero pierde su alma de niña; encuentra al avatar de Cristo, pero cuando ella ya es demasiado mayor para responder a su amor. Si creció, la culpa no era suya («Todos los niños del mundo, excepto uno, crecen», como nos dice Barrie en la primera línea de Peter Pan, usada por Matute como epígrafe de *El polizón del «Ulises»*). Pero, ¿cómo debemos juzgar sus engaños activos, internos, externos, dentro del mismo discurso de la novela? El texto es anfibológico, fraudulento. En la historia, Matia ha hecho un esfuerzo para demostrar que ella era una víctima inocente, una cómplice involuntaria —o al menos impotente—, en la traición de Manuel[24]. Pero a nivel del discurso, señala con un dedo acusador a la jovencita que ella había sido, llenando la memoria de indicios autoincriminadores.

El primero es la descripción del personaje de Manuel, que lo presenta como una prueba irrefutable de que se puede crecer sin traicionar los ideales infantiles, aunque el precio sea alto. Su propia madre, con su significativa ausencia, es otro modelo de rebeldía, también malogrado. Comparada a ellos, Matia parece indecisa y cobarde, bien que triunfante en el sentido material. Una segunda pista nos la proporcionan las dos mentiras —interesadas pero a la vez obvias— que enmarcan la memoria. La primera es el (ya no) críptico epígrafe, que la narradora ha alterado descaradamente para echar la culpa de su perfidia a Manuel (o Dios), alegando que sus principios son falsos, dado el estado del mundo «real»: «A ti el Señor no te ha enviado y, sin embargo, *tomando Su Nombre* has hecho que este pueblo confiase en la mentira.»

---

[24] Por lo menos un crítico se ha dejado engañar por las protestaciones de inocencia proferidas en la historia. Thomas dice que Matia «cae en la complicada trampa de Borja» (p. 160). También opina que la narradora sólo se da cuenta de su propia culpabilidad al ponerse a escribir sobre los eventos. La deliberada inclusión en el texto de este equívoco tan importante sobre la motivación de la protagonista podría considerarse un ejemplo de la estrategia textual que Pratt llama el «efecto ahogador» (*drowning effect*), según la cual la escritora se vale de un desenlace convencional para paliar y efectivamente ocultar el mensaje radicalmente subversivo de sus narraciones («Archetypal...», p. 11).

En su falsedad final, Matia niega la existencia de su mundo alternativo de cuento de hadas, en lugar de confesar que hizo una lectura errónea de los cuentos al concentrarse en los principios ignorando sus finales aleccionadores. Intenta hacer pasar desapercibida ante la lectora esta última infidelidad poniéndola entre paréntesis: «(No existió la Isla de Nunca Jamás y la Joven Sirena no consiguió un alma inmortal, porque los hombres y las mujeres no aman, y se quedó con un par de inútiles piernas, y se convirtió en espuma.) Eran horribles los cuentos. Además, había perdido a Gorogó» (p. 209).

Entre estas dos mentiras, Matia la narradora labra un engaño mucho más grave al criticar el mundo adulto desde una perspectiva artificiosa de superioridad moral. Ella misma vive ahora en ese mundo, mintiendo como todos los demás. Cuando en la escena final abraza compasivamente a Borja, cuyas manos todavía estaban húmedas con la sangre metafórica de Manuel, Matia tomó partido de una vez por todas, junto a él, junto a su familia y junto a la estructura social que ellos apoyaban y ejemplificaban. Y, al mismo tiempo, asumió la identidad de su género, con todas sus asimetrías; sería accesoria, consoladora, objeto, embustera. Pero la última imagen, tan convincente como la primera, indica al lector que Matia sabe lo que ha hecho. El ojo implacable del gallo de Son Major registra su rendición a la alienación, y cacarea su mala fe a todos los que están escuchando. O leyendo.

APÉNDICE

Deseo, amor	*Odio*
Borja↔Matia Matia↔Manuel Manuel, Sanamo↔Jorge Matia, Borja, Emilia→Jorge Chino→Borja	Borja↔Matia Borja↔Chino Borja↔Manuel * Práxedes→Jorge
Comunicación	*Incomunicación*
Borja↔Matia * Matia↔Manuel * Práxedes→Borja Emilia→Matia } Sólo a nivel Borja↔Manuel * } del parecer	Matia↔su familia Borja↔Manuel * Jorge→todos excepto Sanamo
Participación, ayuda	*Oposición, obstáculo*
Borja↔Matia * Matia↔Manuel * Manuel↔Borja *	Borja↔Matia * Borja↔Manuel * Borja→Chino
Equiparación, igualdad	*Dominación*
Matia↔Manuel * Manuel↔su familia	Borja→todos los niños excepto Manuel * Matia→Manuel * Práxedes→todos excepto Jorge, Malene

* Relación discontinua.

4. LA CÁRCEL DEL LENGUAJE (Y MÁS ALLÁ)

La novela *El mismo mar de todos los veranos* (1978) de Esther Tusquets es fundamentalmente la inscripción de la otredad, de la diferencia, dentro del contexto o lenguaje de la mismidad, de la identidad. Si bien es heterodoxa respecto de las normas literarias y sociales, la novela tiene una estructura clásica y se cierra tan herméticamente que al lector, después de leer las tres últimas palabras (que son las tres mismas palabras del epígrafe: «Y Wendy creció»), le parece oír el chasquido de una puerta bien engrasada al cerrarse. Dentro del marco convencional de la historia de un matrimonio pasajeramente separado (o más exactamente, de una esposa que quiere regresar a su pasado durante un alejamiento de su marido), nace una historia heterodoxa de amor entre una mujer mayor (la esposa) y una chica joven: en los intersticios de la versión consagrada de la sexualidad adulta, el matrimonio, se desarrolla una in-versión herética. Incluso la perspectiva de temporalidad lineal impuesta por la convencional composición de la novela queda interrumpida por esta aventura, que se abre como un excesivo paréntesis de 170 páginas dentro del sintagma del texto, con sus escasas 28 páginas de introducción y 27 de conclusión.

El título de la novela revela sinecdóquicamente el principio que estructura la totalidad: en términos filosóficos, la antinomia; en términos retóricos, la antítesis, una construcción *A*/no-*A*. Todos los

La versión original de este capítulo, «The Prison-House (and Beyond): *El mismo mar de todos los veranos*», fue publicada en *Romanic Review*, 75 (1984), pp. 366-85. Traducción al castellano de Maite Cirugeda con la ayuda de la autora.

El título original hace un juego intertextual con el título de un conocido libro de crítica literaria de Frederic Jameson, *The Prison-House of Language* (*La cárcel del lenguaje*), frase que él tomó de Nietzsche: «Tenemos que dejar de pensar si nos negamos a hacerlo dentro de la cárcel del lenguaje». El libro de Jameson trata del estructuralismo y del formalismo ruso. Su explicación del concepto de Shlovski sobre *ostranenie* o la desfamiliarización (pp. 50-64) me ha sido muy útil en este análisis.

nombres del título llevan dos señas de identidad (*el, mismo* y *todos, los*), mientras que por sí mismos significan la falta de identidad (el mar, con su flujo eterno) o la periodicidad (el verano). Más allá de esta doble antítesis a nivel semántico, se encuentra otra ruptura de significado, puesto que el mar a que hace referencia el título es metafórico (las copas de los árboles que se extienden hasta el horizonte, vistas desde el balcón); y el verano, que parecería empezar en mayo al principio de la novela, en realidad sólo llega un mes más tarde, cuando ésta finaliza. Por consiguiente, el título es una cadena de construcciones *A*/no-*A*, que pueden traducirse aproximadamente como: el mismo (no el mismo) mar (no el mar) de todos-y-cada-uno-sin-excepción (cada uno es irrepetible) verano (no el verano). Así es la novela misma, en la que la norma, que yo llamaré *A*, se presenta únicamente para ser contradicha o desfamiliarizada por la a-norma heteróclita —no-*A*—, que llamaré *&*. *A* representa y fija la ortodoxia y la «ortopráctica» en ámbitos muy diversos —el político, el social, psicosexual, corpóreo, musical y artístico— pero en esta novela, se revela que en el fondo *A* es siempre la misma simple historia, repetida hasta el infinito, pero unívoca e invariable: $A = A$. Su aparente complejidad queda refutada explícitamente y mediante la yuxtaposición de creencias y prácticas alternativas, *&*, en la que *&* significa la variabilidad. Así pues, la ecuación de la novela podría representarse como $A(\&) = A$.

El largo paréntesis que constituye el centro de *El mismo mar...* es una exploración de un paradigma de *&*, que podríamos llamar *féminité*. La ventaja de elegir este modelo de diferencia entre cualquiera de los demás reside en que, al menos parcialmente, resulta aprehensible mediante la analogía con la inversión de la norma masculina. El episodio central puede leerse como un cíclico (no lineal) «descenso (no ascenso) al paraíso» [1], a lo blando (no duro), al tacto (no vista), al silencio o a la glosolalia (no el habla estándar), al espacio interno o privado (no externo, público), al auto u homoerotismo y a la sexualidad no-reproductora. Pero tal lectura de *&* sería incompleta, porque entender ésta solamente en términos de *A* equivale a negar su radical y enriquecedora diferencia. Para evitar

---

[1] *Descente au paradis* es el título que Hélène Cixous pensaba poner a una obra dramática que escribía en 1977, una obra que comparte varios temas feministas con *El mismo mar...* La describió en una entrevista como «un *travail sur l'interdit*», porque trata del amor de una mujer por otra. Subsiguientemente se publicó (1978) con el título *Chant du corps interdit* (Cixous, «Entretien...», p. 493).

dicha identificación, el texto inscribe un aspecto de la feminidad que carece de análogo masculino: la menopausia o sea, la ausencia de la sexualidad femenina normativa, que es reproductora o «uterina»[2].

La menopausia se patentiza en los códigos sémicos y culturales de *El mismo mar*... El código cultural proporciona información sobre la menstruación (ciclo de unos veintiocho días; efectos y cronología de la dismenorrea), y la menopausia (edad promedio de la afectada, entre los cuarenta y cinco y los cincuenta años; efectos físicos y psicológicos). A la luz de lo cual, la repetición en el texto de los números que rondan el 28 es significativa: 28 páginas de introducción, 27 de conclusión; los «25, 26 o como máximo 27 días» que duró la aventura con Clara (p. 226). Sémicamente, la menopausia está codificada en la propia protagonista, que tiene casi cincuenta años, como ella misma nos dice varias veces. Al final de la novela —después de 27 páginas de conclusión, 27 días de aventura— se queda esperando el inicio del dolor, del mismo modo que había esperado el dolor de sus primeras menstruaciones (p. 219). Esta vez, la espera es estéril, sólo hay cese: termina la novela, termina la aventura, y termina asimismo una parte de la «vida» de la protagonista, que «acaba» sintiéndose amputada, desesperada y objetivada.

La aceptación por parte de la protagonista de este estatus, identificado como el estatus convencional de una mujer posmenopáusica, queda reflejada en todos los niveles del discurso de la novela. Después de su crisis de umbral, de su «cana al aire», tanto ella como el texto vuelven a la identidad, y todas las normas quedan restablecidas: la simple historia (matrimonio), la estructura novelística convencional (principio, medio, fin), el flujo normal del tiempo (juventud, madurez, vejez; primavera, verano, etc.), el acto sexual usual (penetración masculina de la hembra; excitación, orgasmo, resolución). Ve su vida como un texto, como una concreción más de la invariable historia *A*; su vida, como todas las vidas, como irremediablemente modelada por las historias (de ficción, culturales, religiosas, etc.)[3]. Su tentativa de reescribir su vida, concretada en la aventura extramatrimonial, ha fracasado —tal vez porque se em-

---

[2] Esta terminología es de Gayatri Chakravorty Spivak, quien habla de la «norma uterina de la feminidad» y aboga por la «desnormalización» de la actual «organización social uterina», definida por ella como «la disposición del mundo en términos de la reproducción de las generaciones futuras, en la que el útero es a la vez agente y modo de producción principales» (pp. 182-83).

[3] Habla de su vida como: «esta triste historia [...] esta historia sórdida de la que

prendió demasiado tarde en la historia— pero reta a sus interlocutores/as (Clara; el lector) a tomar el vencido estandarte, a vivir vidas más libres, a romper las líneas que nos atan, que nos circunscriben.

Dado que la narradora/protagonista de *El mismo mar...* considera su vida como texto, la anécdota de la narración se convierte en tema, la estructura se transforma en historia. Como resultado, la división del texto en historia y discurso se vuelve algo imprecisa. Para enfocar la historia relatada en la novela, por ejemplo, debemos tener en cuenta algo que en realidad corresponde al discurso; a saber, que la narradora cree —y quiere que la lectora crea— que la historia que está contando es exactamente igual que todas las demás historias jamás contadas. Cuando empieza a narrar su viaje de retroceso en el tiempo y en el espacio —el retorno a los refugios recordados de su infancia, para vivir y revivir en ellos unos momentos de autenticidad— nos vemos obligados a esperar que ese viaje tenga un fin convencional: el retorno al presente, la reasimilación a su contexto adulto, la relegación del no-presente (&) al olvido o al sentimentalismo. Del mismo modo, cuando empieza la historia central, una historia de amor, tenemos que esperar que termine mal, ya que la narradora nos ha dicho que todas terminan mal, que son «historias tontas que terminan siempre mal, una única, una misma aventura, con un único previsto final» (p. 133). El texto de su propia vida ha reflejado esta ley de identidad narrativa ($A = A$), ya que a pesar de su aparente variedad, se trata de una historia como cualquier otra: «tantas historias [...] sentimentales, historias tristes, que repiten con distintas melodías un único fracaso» (p. 30). Así pues, las líneas generales de la trama de *El mismo mar...* han quedado establecidas: para que termine «bien», el final tiene que ser triste. El (con)texto volverá a su estado inicial, la muerte-en-vida de la protagonista[4]; la historia de amor, paradigmática y entre paréntesis, pasará a la historia.

---

emerjo derrengada, sucia, envejecida» (p. 35). O se refiere a ella como varias historias (pp. 16, 29, 30, 93, 188), «el repertorio de mis historias, estas historias que renuevo, que resucito y que repito, casi siempre muy iguales a sí mismas» (p. 179). A veces describe su vida como si fuera otro tipo de discurso público: una farsa (pp. 30, 99, 224); un baile de disfraces (pp. 90-100). Su vida de casada se le antoja una telenovela, un spot televisivo, o una película de clase B (pp. 203-16). También compara su vida a una sola oración, interrumpida por un paréntesis de treinta años (pp. 53, 89).

[4] Describe su vida con Julio así: «esta media vida, este suicidio lento y cobarde»

¿O tal vez no será así? ¿Acaso es el episodio de Clara tan «familiar», tan olvidablemente paradigmático? No; es una historia de amor, pero desfamiliarizada y única. Queda desfamiliarizada mediante la misma técnica utilizada en el resto de la novela: la yuxtaposición (irónica) de lo no convencional con lo convencional, *&/A*. En primer lugar, el amor de esta *love story* se da entre homosexuales, lo cual representa una perversión del argumento convencional «muchacho encuentra a muchacha», y una subversión del sistema sociosexual que subscribe dicho argumento[5]. Una segunda convención define los rasgos del iniciador, del sujeto gramatical de la historia de amor: él debería ser sexualmente atractivo y agresivo, podría ser bastante mayor que el objeto de sus atenciones. La protagonista de *El mismo mar...* satisface todas estas calificaciones excepto la más básica: no es él, sino ella. Y que una mujer posea estas cualidades, que sea el sujeto en lugar del objeto del verbo activo, resulta un solecismo literario y social, un oxímoron cuyo gráfico sería *&/A*. O sea: ella es sexualmente atractiva/la hembra menopáusica no es ni sexual ni atractiva; es la iniciadora de la aventura/la mujer sigue la iniciativa del hombre; tiene treinta años más que Clara/las mujeres mayores no tienen aventuras con jovencitas.

Finalmente, la chica también subvierte la convención, a pesar de poseer muchos de los atributos estipulados del objeto de amor, tales como ser mujer, pasiva, silenciosa, incompetente, e inerte (por lo menos al principio de la aventura), pequeña de estatura y frágil; a pesar de que despierta en la protagonista el recuerdo de objetos de amor tradicionales: muñecas, princesas, sirenas, Bella (de «La Bella y la Bestia»), Angélica, Ariadna. Todo lo dicho queda negado por dos cualidades de Clara que automáticamente la excluyen de la condición de objeto deseable: es «fea», y es «extranjera». La fealdad es el factor determinante, porque el estatus de extranjero en sí constituye un obstáculo susceptible de ser neutralizado por la belleza, en esta

---

(p. 212); «este duermevela que es mi vida, mi no vida» (p. 228). Cuando pase la primavera, volverá a esta muerte-en-vida o, metafóricamente, al mar «que es el morir», según las palabras de Jorge Manrique de las que se hacen eco repetidas veces (pp. 209, 212, 220). A la luz de esta repetición, el título de la novela cobra un significado más: la misma muerte de siempre.

[5] Que este amor sea entre dos mujeres y no hombres lo hace todavía más inaudito o inédito, tanto en la literatura como en la cultura. En su artículo ya clásico en la crítica feminista, Rubin analiza las distintas implicaciones para la sociedad de estas dos formas de homosexualidad (pp. 182-83).

novela y en los cuentos de hadas y otras historias de amor. Clara es demasiado delgada y patilarga, de busto demasiado liso, demasiado morena, demasiado despeinada y demasiado seria para ser «hermosa» en el diccionario novelístico o social. Por todo lo cual, ella y la protagonista son dos excéntricas (cada una de ellas un ejemplo de *&*) cuya unión constituye una perversidad narrativa y cultural, «un hermoso, un perverso juego» (p. 90).

La narración que enmarca todo lo anterior es mucho más convencional. Se trata del retiro al pasado, en el fondo «terapéutico», de una esposa, retiro provocado por la enésima escapada de su marido con la *starlet* de turno. Comparándose con un animal herido, la protagonista regresa furtivamente a su primera «guarida», el piso en que había vivido cuando era niña, «el viejo piso de mis padres —de mi madre—» (p. 87). Comienza esta historia una larga descripción del pasillo de entrada, con su «penumbra y silencio», presidido por una estatua de Mercurio. Ella recuerda este espacio liminal rebosante de la risa y la belleza de su joven madre, siempre escondiendo la hoja de parra que las susceptibles señoritas solteronas del entresuelo usaban para cubrirle el sexo a la desnuda estatua. Tanto la morosidad como los detalles sexuales de esta descripción sugieren que al entrar en la casa vuelve a cruzar metafóricamente la vagina materna como en el nacimiento, retrocediendo lo más lejos posible de su presente: «me sumerjo en una atmósfera contradictoriamente más pura —menos luz, menos ruidos, menos sol» (p. 7). Regresa a un hábitat infantil que le había parecido tener vida propia, un lugar acogedor que parecía ser parte de ella misma. Allí empieza a tomar bebidas «con un sabor a primera juventud», sentándose horas y horas en el sillón de cuero de su padre, hecha un ovillo, con las rodillas contra el mentón, o durmiendo en su cama prenupcial. Ha regresado en busca de la persona que era antes de ser traicionada por su amante Jorge, y así condenada a vivir una farsa en vez de una vida auténtica (p. 30); ha regresado porque cada primavera le recuerda lo que habría podido ser, aquella versión de sí misma que entregó a la esclavitud.

Contra este fondo de reversión, la aparición de Clara suscita mucho más que un interés romántico. Para la heroína representa, ambas cosas a la vez, la promesa de una nueva vida y la repetición del pasado, ya que en muchos aspectos Clara es la protagonista de treinta años antes: «único habitante de mi tiempo deshabitado, de mi pasado ido» (p. 87). El nombre de Clara —el de la narradora no se revela, aunque sabemos que tiene también dos sílabas (p. 161)— sugiere que ella es una visión o versión más clara de la protagonista cuando joven. El aspecto físico de una y otra es igualmente *&*, discrepante del concepto de belleza aria del que la madre de la narradora era el adalid (pp. 23, 75)[6]. Pero la más ostensible semejanza entre la joven y la protagonista a la edad de veinte años es afectiva. El amor que Clara siente por la protagonista, que la protagonista a su vez había sentido por Jorge, va mucho más allá de los límites sociales de *A*. En lenguaje *A*, tal amor sólo puede describirse como «monstruoso», «inconcebible», «siniestro», «excesivo» y «peligroso». Su desenlace, en tantas leyendas repetido, es tan «inexorable» como trágico (pp. 161-64).

La irrupción de Clara marca —o desencadena— la segunda etapa del viaje hacia el pasado en el tiempo y en el espacio de la protagonista. La primera etapa la ha devuelto a sus orígenes, «a través» de su madre; la ha hecho deambular de la «cálida guarida» (piso) al «pozo de sombra» (biblioteca), a la «gruta subacuática» (almacén de material artístico), al «palacete encantado» (cine), al «templo mágico» (heladería), todos los refugios asociados con su vida anterior a Jorge. La segunda etapa la lleva fuera de la ciudad; en cierto sentido la conduce a sus pre-inicios, puesto que el objetivo es visitar la deshabitada casa de su abuela[7]. Lleva consigo a Clara en este «paseo ¿por el tiempo?, un complicado ritual» (p. 79), con la remota esperanza de encontrar una cura a su muerte-en-vida. Si esta vez pudiera establecer una relación (sexual) satisfactoria, completando así el proyecto iniciado —y truncado— treinta años antes con Jorge, tal vez pudiera llegar a vivir, en lugar de seguir representan-

[6] Al comparar a Clara repetidamente con el «patito feo» del cuento, cuya fealdad era puramente contextual, la narradora subraya la arbitrariedad que implica todo juicio estético. Ella misma había sufrido juicios negativos acerca de su apariencia cuando era una niña; su madre no cesaba en sus esfuerzos para transformarla en princesa (pp. 23-26, 191-93). Por consiguiente, en su nueva vida *&* arremete contra esa clase de normatividad que tanta mutilación produce. Todas las técnicas desfamiliarizadoras de *El mismo mar...* funcionan para señalar la arbitrariedad de lo conocido o consabido.

[7] La casa de la abuela es un «refuge doublement utérin», en las palabras de Béatrice Didier, que así describe el cuarto propio de George Sand, antiguamente la alcoba de su abuela. Una casa vacía, «refuge matriciel et nourricier», también juega un papel importante en la autobiografía de Sand, *Histoire de ma vie*. Ambos lugares le propiciaban la posibilidad no sólo «de se trouver, mais d'écrire, de se trouver par cet acte» (Didier, p. 567).

do, en los años que le quedaban. Tiene que volver precisamente a la casa de la abuela para intentar llevar a cabo una regeneración de este tipo, porque sólo allí había vislumbrado las posibilidades —desmentidas más adelante— de conseguir una relación sexual feliz (en la pareja constituida por su padre y su niñera, Sofía) y una adultez plena (en la persona de su abuela, de joven también pequeña y morena y heteróclita, pero en su madurez convertida en gran dama). Así pues, con esta remota esperanza de reescribir su edad adulta, la heroína deja atrás su antigua vida (historia), y se encierra con Clara, promesa y reencarnación, en una casa junto al mar.

Llena las horas volviendo a contar a Clara las historias de su vida, aquellas historias que «repiten con distintas melodías un único fracaso». Al igual que las dos únicas mujeres que en toda su vida ha admirado, su abuela y Sofía, la protagonista es Sherezade, Penélope y Wendy Darling, manteniendo a raya un destino —desenlace— hostil con su inspirado y repetitivo relatar [8]. Uno de los principales papeles de Clara es, precisamente, el de oyente, «escuchadora apasionada de mis historias» (p. 93; también pp. 90-92, 123, 179-180, 188-189). Cuando la narradora se acerca al final de la última de sus historias, la de Jorge, que nunca había podido «reducir a la forma de una historia» (p. 180), Clara la concluye en su lugar. Con esta *prise de la parole,* Clara pone fin a la etapa larval de esta aventura amorosa, en la que ambas habían representado los papeles de género estereotipados: la protagonista, el masculino; ella, el femenino. Ahora, «las dos somos la Bella y las dos somos igualmente la Bestia» (p. 183). Su pasividad, silencio e incompetencia desaparecen, y asume el lugar que le corresponde en el linaje de hilvanadoras de cuentos. Teje un capullo y a la vez un futuro, al contrario que sus predecesoras inmediatas que sólo zurcían sus pasados: «va construyendo [...] a base de palabras otra realidad distinta [...] va erigiendo —al otro lado del capullo de seda en que me envuelve: porque esto es lo que está haciendo Clara, tejer en torno a mí un capullo de seda—, va construyendo un futuro imposible para nosotras dos» (p. 184).

---

[8] No se nombra a Sherezade en *El mismo mar...,* pero sí *Las mil y una noches* (pp. 20, 118). La amiga Maite, gran fabuladora, se describe como si fuera una Sherezade (p. 53). La protagonista se compara con Penélope (p. 201) y con Wendy, cuentista predilecta de Peter Pan y Los Niños Perdidos (epígrafe, y pp. 155, 193, 225). Tanto la abuela como Sofía contaban maravillosas historias en las cuales eran ellas y no rubias princesas las heroínas (pp. 146, 149, 165).

La tentativa de la protagonista de regresar a su pasado no tiene éxito en la medida en que se ve forzada a reconocer que todo cuanto la rodea ha cambiado, que el pasado es «irrecuperable» (p. 192). A pesar de encontrar elementos que no han cambiado —el mar de hojas bajo las ventanas del piso, el mismo piso; el patio de la buganvilla, el ruido del mar; la voz de Maite; la heladería, etc.— ve otras irrevocablemente cambiadas: su abuela, que muere en el transcurso de la novela; el barrio de Barcelona; ella misma, de pronto, «definitivamente, al otro lado», en esta primavera (de su menopausia) en la que por primera vez ha tenido conciencia de estar envejeciendo (p. 138). Pero finalmente es su experiencia con Jorge lo que le ha impedido aprovecharse de la promesa de renovación primaveral que la naturaleza brinda todos los años. Jorge incidió en el tiempo, haciendo que a partir de entonces fuera irrepetible, irresistiblemente lineal. Como Teseo, al cual se le compara a menudo, Jorge se la llevó de su laberinto (espacialmente cíclico) y la abandonó, como Ariadna, a la cual a menudo se compara ella, en una isla (pp. 193-97 y *passim*). Desde entonces, los ciclos de la naturaleza, al igual que sus propios ciclos excepto uno (p. 216), han sido promesas vacías. También Clara —«esta postrera, extemporánea posibilidad de volver a la vida, esta posibilidad tan loca y tan maravillosa que se ha llamado Clara» (p. 229)— es una promesa vacía.

El desenlace de esta historia es precisamente lo que la narradora nos ha dicho que sería. La historia de amor termina de un modo trágico: la protagonista —que ha vuelto a asumir el papel estereotipado masculino (príncipe, noble enmascarado, náufrago viajero, etc., p. 163)— abandona a la joven herida de amor (porque en la literatura nunca se trata de una mujer adulta, que tal vez hubiera desarrollado algunas defensas, p. 164). Por otra parte, la historia que sirve de marco termina «bien». La esposa menopáusica, una vez superado el estado liminal, de umbral, vuelve a ser una «mujer» y regresa junto a su marido mujeriego, permitiendo así a su madre e hija respirar «con alivio y comentar que he superado felizmente una nueva crisis primaveral, que tengo buen aspecto, que estoy muy guapa [...]» (p. 228). Se restablece la identidad, $A = A$ una vez más, y & ha sido borrada. De aquella horrible crisálida, emerge *comme il faut,* una mariposa, ornamental e impotente, que será montada por su marido y después exhibida en «una caja para mariposas muertas, una caja de coleccionista a dimensiones siderales» (p. 214).

Propongo analizar tres elementos del discurso o acto enunciativo de *El mismo mar...*, que son claves para la comprensión de este texto que exige una lectura deconstructiva. El primero, y más amplio, es el *tema* del discurso, entendiendo por discurso aquellas construcciones verbales que «dan sentido» a lo que no tiene sentido, o que de la naturaleza hacen cultura. La intertextualidad y el estilo literario son otros elementos del acto enunciativo que consideraré.

La verdad sugerida por el tema del discurso es que la vida es una refundición de varios textos ya escritos: en otras palabras, que la vida imita al arte. Se nos da a entender que *El mismo mar...* es un texto más entre millones de textos, y que todos repiten la misma vieja historia. A pesar de esta postura, y en gran parte debido a ella, *El mismo mar...* es diferente, ya que esos otros textos no se proclaman textos. La aguda autoconciencia de esta novela la marca como diferente, la desfamiliariza. Tanto a nivel de la historia como a nivel de la enunciación, *El mismo mar...* es consciente de sí mismo en tanto que acto narrativo que debe seguir unas normas gramaticales estrictas para ser comprensible. La narradora trabaja dentro de estas limitaciones, aceptándolas del mismo modo que acepta la gramática absolutamente arbitraria de la heladería y, sin embargo, consigue contar una historia de diferencia, de una manera diferente. Al así hacerlo, deja las gramáticas convencionales por lo que son: limitadoras, aleatorias y destructivas del potencial humano.

Ya hemos discutido la pluralidad que caracteriza el nivel narrativo en *El mismo mar...* Su enunciación es también plural, en tanto que intenta ser una combinación de géneros: novela, memorias o confesión, y poesía (si puede ser calificada de poética es, principalmente, en base a su lenguaje, que estudiaremos a continuación). Su forma es heterogénea, no sólo porque cuenta dos historias, sino también porque estas dos estructuras narrativas representan explícitamente distintos conceptos de tiempo (lineal *versus* cíclico), y parecen querer llevar a cabo la inscripción de distintos tipos de deseo (orgásmico versus *jouissant*). La forma de la novela —parecida a la de una frase interrumpida por paréntesis— puede visualizarse del modo siguiente:

A → (&) → *A*

Las secciones de la novela correspondientes a *A* no sólo se ocupan del material convencional, sino que siguen el esquema narrativo convencional principio-medio-fin. La narradora señala la soberanía absoluta de dicha estructura en la literatura (o en su simulacro, la vida; y la música); su curso es «previsible» (p. 60), «fatal» (p. 89), está «echado a perder desde el comienzo» (p. 108), es «inexorable» (p. 162), «inevitable» e «implacable» (pp. 77, 215). Este modelo narrativo escatológico está relacionado, en la mente de la narradora, con la concepción lineal del tiempo de su cultura judeocristiana. Ambas convenciones —la narrativa y la cronológica— contribuyen a condenarla, ya que se halla más allá de la mitad en el cuento de hadas que es su vida, y debido a que las mujeres de mediana edad han llegado, culturalmente hablando, al final del trayecto. Las frecuentes y autoconscientes menciones de su edad —«vieja momia» (p. 52) «envejecida» (p. 27), «definitivamente al otro lado» (pp. 54, 119), etc.— muestran su percepción de hallarse en el extremo negativo de la escala de la edad.

En la sección *&* de la novela, en cambio, el tiempo va perdiendo lentamente su perentoriedad y se vuelve elástico. El pasado retrocede, el futuro pierde su aguijón; se privilegia el presente. Al mismo tiempo, las discontinuidades espaciales quedan abolidas, ya que la protagonista intenta vivir en el aquí-y-ahora: «el tiempo ha empezado a transcurrir con un ritmo distinto [...] dentro de nuestra historia, la historia de Clara y la mía» (p. 104). Desechando las leyes de la física más elementales, el tiempo se vuelve espacio y viceversa. Se disuelve la identidad: el yo se confunde con el tú; la entidad infancia con una persona; la casa (lugar) con el tiempo (los años de la infancia), etc. «Tenemos por primera vez todo el tiempo [...] porque la casa, Clara, mi infancia, son de repente una misma cosa [...] tan para siempre y desde siempre mía, que tengo todo lo que me queda de vida para lentamente desvelarlas [...]» (p. 153).

Esta experiencia de no-linearidad y no-identidad es específicamente *féminine* según la teoría feminista francesa. Si una mujer desea «escribir su cuerpo» —como hasta ahora los hombres han escrito el suyo imprimiendo en el discurso su paradigma de deseo lineal— ella debe intentar reproducir su propia experiencia sexual «infinitizada» (Kristeva) y difusa que, como dice Irigaray, «no es una». En *El mismo mar...*, la sección *&* reproduce la experiencia femenina del placer sexual (tal como lo considera la actual teoría francesa):

los días y las noches se confunden en un acto de amor infinitamente prolongado [...] un amor vacío de programas y de metas [...] un amor que no conoce apenas paroxismos ni desfallecimientos —no hay antes ni después—, porque donde el placer debiera culminar y el deseo morir queda siempre encendido un rescoldo sutil y voluptuoso, y hasta dormidas las dos siguen nuestros cuerpos meciéndose, acunándose, buscándose enlazados, y nos amamos entre sueños o en un duermevela interminable [...] [pp. 181-82].

De un modo análogo, las dos secciones *A* siguen el modelo dirigido del placer sexual masculino. Al principio, la protagonista imita el comportamiento masculino, realizando varias expediciones orientadas todas hacia la consecución de un objetivo (tanto si se trata de un objetivo considerado temporalmente distante como de uno espacialmente distante). Sus desplazamientos son abruptos y enérgicos: Clara es alternativamente «arrastrada» o «empujada» por la protagonista. En la segunda sección *A,* parece haber perdido este control —prestado, no propio, en todo caso— que había tenido sobre el tiempo y el espacio, convirtiéndose en el objeto arrastrado dentro del vórtice de su marido. Julio es todo movimiento y linearidad, «un alfiler al rojo vivo» (p. 214), hendiendo lo que se le resiste. Tan pronto como «el cuerpo de Julio» se acerca al de ella —y es significativo que la narradora describa de esta manera su reencuentro con él—, el irresistible mecanismo sexual y narrativo *A* se pone en movimiento, con lo cual, ya se sabe, «todo se desarrollará inexorable hasta el final, y es [...] como una película que estuviera ya filmada» (p. 214). Tan implacable es este orden que ella prevé perfectamente cómo va a terminar el reencuentro: en la cama y en un coito, rematado con un orgasmo, que ella describe como «este torpe placer que ha de llegar al fin, histérico y crispado, inevitable y odioso como la misma muerte, odiado como la muerte, otra forma de muerte, porque es mi propia muerte la que cabalga sobre mí [...]» (p. 215).

Si la vida es una refundición de textos ya escritos, resulta evidente que la palabra tiene un papel preeminente en la estructuración de la realidad. Cuando la palabra es unívoca, como cree la narradora que sucede en el mundo que le ha tocado vivir, su poder se convierte en tiranía, el falologocentrismo (o logocentrismo) de la crítica deconstruccionista y feminista francesa considerada en el capítulo 1. La narradora presenta varios corolarios de este logocentrismo constitutivo —ejemplos de *A*—, al tiempo que sugiere modelos alternativos. Una vez más, se trata de la desfamiliarizante yuxtaposición *A*/*&*; junto a las narrativas específicas que han modelado su vida contrapone historias del tipo *&*, abiertas o revulsivas; junto a los hombres en tanto que controladores supremos de las palabras, presenta a las mujeres en tanto que narradoras creativas, las mujeres como habladoras de un lenguaje desconocido.

La narradora cataloga los muchos textos que han dado forma a su vida para ilustrar el principio general de que se es lo que se lee, puesto que sólo se puede experimentar lo que ya ha sido experimentado, o sea aquello sobre lo cual ya se ha escrito. (Si bien la aventura con Clara representa una excepción a esta regla general, es de corta duración; al final, la protagonista no es capaz de llegar a creer en la historia inaudita que Clara ha intentado inventar. P. 199.) De ello se deriva que las personas que han crecido en su mismo entorno sociocultural, que habrán «leído» más o menos la misma combinación de textos que ella, tendrán vidas similares. Si ella ha resultado una inadaptada al entorno, es precisamente porque no sabe leer o descodificar bien: «algunas veces entendía cuentos y lecciones al revés —me armaba a menudo un lío sobre quiénes eran los buenos y quiénes eran los malos [...] igual me daba por llorar inconsolable en los finales supuestamente más felices» (pp. 192-93). Haciéndole todavía más difícil la tarea de identificar y de identificarse con lo correcto, era su propia apariencia discrepante de la norma, lo que dificultaba reconocer como modelos de conducta a las bellas princesas de los cuentos de hadas.

Las leyendas que ha leído u oído son las previsibles en una joven burguesa: historias de amor que terminan mal —cuentos de hadas, sagas, mitos griegos, clásicos de la literatura—; cuentos infantiles (*Peter Pan, Alicia en el País de las Maravillas* y *Mujercitas*) que, entre otras cosas, demuestran que las chicas tienen que despedirse de la aventura al crecer. Había también por lo menos una historia de santos, la de San Jorge y el dragón. Estos relatos y estos personajes ilustran la fina línea divisoria que separa el comportamiento correcto del incorrecto, señalando que una única falta puede excluir para siempre al desafortunado (a la desafortunada) joven del círculo de los elegidos [9]. Las chicas en particular tienen que concentrarse en el

[9] Los principales cuentos de hadas y personajes son: La Sirena, La Bella y la Bestia, Blancanieves, Alicia, Hänsel y Gretel, Rapunzel, Cenicienta, La Princesa y el Guisante. Mitos o personajes míticos: el Minotauro, Teseo y Ariadna, Eurídice, Juno, Démeter, Atenas, Dionisio; el Anillo de los Nibelungos (Sigfrido y Brunilda); Lancelote y Ginebra, Tristán e Isolda. Clásicos de la literatura: Fausto y Gretchen, Orlando y Angélica, Don Juan, Ulises, *Las Mil y Una Noches*.

aprendizaje de la función que por su género les corresponde; las que no sean bellas, estúpidas, pasivas, ni superficiales no cazarán a su príncipe (p. 163). O tal vez lleguen a conquistarle después de innumerables sacrificios, sólo para que después el príncipe las abandone para seguir en pos de su varita mágica que le lleva de aventura en aventura, como Teseo.

La narradora contrasta estas leyendas simples e inolvidables con las historias verídicas de final abierto que Sofía solía contarle y que ahora ella ha olvidado. En este caso no se trata de que la poesía sea superior a la historia; en este caso se trata de que lo infinitamente repetido, lo *consabido,* es más fácil de comprender y de «asimilar» que el acontecimiento único, narrado en una gramática desconocida, como la de Sofía, cuyos cuentos infringían (entre otras cosas) la distinción, elemental en el lenguaje *A*, entre primera y tercera persona (p. 165). Otra posibilidad narrativa no tradicional presentada por la narradora es la de la bruja. Se imagina a sí misma como una bruja de la clase de brujas descrita por Xavière Gauthier y Marguerite Duras (véase Marks y Courtivron, pp. 175, 199-203), y organiza un aquelarre con otras tres mujeres tan ajenas y enajenadas como ella. Se pasan un día y una noche en juergas prohibidas (homosexuales, sodomíticas), las mujeres mayores pervirtiendo a las más jóvenes, bebiendo y fumando sustancias tóxicas que alteran el funcionamiento de la mente. Como si fuera una bruja, asume el control, busca su propio placer e invierte los estereotipos culturales negativos acerca de la nula belleza de la mujer madura:

> floto [...] pronto a escapar en un vuelo, a encaramarme al palo de la bruja más bella y joven, la del sexo más ávido y la del gato más negro, no, no es eso, a encaramar a Clara al palo de mi escoba, porque entre las brujas quizá puedo ser yo todavía, a mis casi cincuenta años, la más bella y la más joven [...] [p. 114].

La narradora está consciente de la existencia e incidencia de otros mitos comunales en la conformación de su «realidad», y de uno sobre todo. Este mito constituyente —o «ideología» en el sentido que Clifford Geertz da al término [10]— traza el origen, la esencia y la

[10] La ideología y varios otros «patrones culturales [...] son "programas"; proveen un modelo para la organización de los procesos sociales y psicológicos». Véase Geertz, pp. 193-233. Le agradezco a Gary W. McDonogh el haberme hecho conocer a Geertz. En el capítulo 8 del libro de McDonogh sobre las «Buenas Familias» de Barcelona, enfoca dos «imágenes suasorias» (Geertz, p. 218) utilizadas por esta elite

conducta que rige en su «raza», el grupo social al que ella pertenece, la alta burguesía catalana. Va casi sin decir que ella no ha sido capaz jamás de hacer entrar el pie (de talla *&*) en esta zapatilla catalana (talla *A*). Ser miembro de la a[lta] b[urguesía] c[atalana] —la a-b-c—, nos dice, significa ir a la ópera y no disfrutar nunca de ella, «porque una cosa es que uno financie ciertos niveles controlados, ciertos grados asimilables de cultura, y otra cosa muy distinta —y quizá incluso peligrosa— sería tomarse la cultura en serio» (p. 131). La a-b-c asiste a la ópera «para sentirnos nosotros, para sabernos clan, para inventarnos quizá [...] que somos fuertes, hermosos e importantes, que somos los mejores». La narradora, en cambio, la frecuenta para disfrutar de ella pero también «para constatar una vez más y todas hasta qué punto somos mediocres, feos, irrelevantes» (p. 127). La asistencia a la ópera es un «culto» que refuerza «oxidados mitos», un rito comunal «de una gente enana [...] de una clase hecha de gentes chatas y mezquinas». La historia de cómo su gente «pasó [...] de ser una raza niña a ser una raza vieja, pero sin crecer ni madurar jamás» —porque érase una vez, hace mucho tiempo, hace más de cien años (durante la Renaixença), habían sido «niños pujantes y entusiastas»— es una de esas «historias colectivas que terminan mal» (p. 128). Por mucho que esta historia particular le desagrade (ya que los niños eran maliciosos, chatos y mezquinos), la reconoce como suya: «asumo una historia que no me gusta y para colmo termina mal» (p. 128). Pero, sintiéndose parte de esta gente, habiendo penetrado con ellos en su «templo», habiéndose instalado en el *sancta sanctorum* de un pueblo capitalista —la propiedad privada, heredada, que es el palco de su familia— después profana este *sancta sanctorum*, profana este templo, y traiciona la ética de este clan burgués, seduciendo a otra mujer —joven, fea y, por añadidura, extranjera.

La leyenda de los catalanes vuelve a ser narrada al final de la sección *&* (pp. 189-97), cuando la protagonista le cuenta a Clara la historia de Jorge/Teseo, que llegó para rescatar a la protagonista/ Ariadna de la isla de los enanos/Cataluña. Jorge (para algo lleva el

---

para distinguirse de las masas inferiores: el Liceu y el Cementiri Vell, continuado por el Cementiri Nou. Tusquets desmitifica el Liceu, y en *Señas de identidad,* una novela de Juan Goytisolo que bien puede haber servido de intertexto a *El mismo mar...,* se hace lo mismo con referencia al cementerio, en la visita de Álvaro al Cementiri Nou de Montjuïc.

nombre del matador de dragones) comparece para liberarla de ese mundo burgués embrutecedor, gobernado por enanos mentales con sus «sentencias estéticas y morales, aquella estética centrada en el buen gusto y aquella moral de pequeños tenderos y comerciantes». La protagonista siempre se había sentido fuera de lugar en aquel mundo, pero hasta la llegada de Jorge no se había dado cuenta de que existiera otro. Cuando él la abandona, no le queda otra alternativa que la de regresar al país de los enanos y empezar a representar uno de los papeles clásicos del repertorio a-b-c: «papel grotesco de mujer oficial de un pigmeo supuestamente importante» (p. 211).

El último ciclo de historias que había modelado la realidad de la protagonista son las que ella había oído o había visto representar en el seno de su familia, aquella zona «fronteriza entre lo biológico y lo social [...] la región que el psicoanálisis se propone trazar, terreno en el que se origina la distinción sexual» (Mitchell, p. 167). Es ahí donde aprendió de qué manera triunfan las mujeres, como lo hicieron su madre y su abuela y su hija, cada una de ellas siguiendo caminos algo distintos, pero todas ellas terminando, «todas las mujeres de mi familia —rota la tradición en mí, único eslabón débil en una cadena por lo demás irrompible—, la primera entre sus pares» (p. 149). Tanto la abuela como la madre aceptaron casarse sin amor, pero se les permitía solazarse con «los disfraces y los amantes y hasta las orgías» (p. 147); con ir de compras; con viajar; con ser decorativas y manipular a los demás, «prendiendo bobamente interruptores» (p. 59). A cambio de darse a «una bestia torpe que nada podía entender de sus anhelos» (p. 147), a la hembra del mito familiar se le concedía una garantía crucial: que la bestia jamás la expondría al rídiculo de sus semejantes. De ahí la tremenda escena que la madre arma cuando se entera de la flagrante aventura de su marido con Sofía (p. 168); de ahí la eficacia de la venganza del padre en ella, humillándola delante de todo el mundo en el casino (pp. 174-79); de ahí la intervención materna en los asuntos de la narradora cada vez que las aventuras de Julio provocan un «excesivo escándalo» (p. 206).

El ciclo de mitos familiares también enseña que es el varón quien esgrime la palabra, y quien es autor final de los dramas trascendentales. Mientras su madre consumía bienes, «mi padre el rey disertaba [...] sobre arte, filosofía, política y moral, como si estuviera dando nombres a las cosas por él recién creadas» (p. 191). Conforme a su carácter «literario», ya había decidido el fin de la aventura con Sofía «antes de que se iniciara la historia» (p. 173). Había escrito el drama entero, había diseñado los decorados («un poco excesiva aquella escenografía tan lorquiana, excesiva en relación a la escena que mi padre nos tenía preparada», p. 177), asignado los papeles y repartido palabras y silencios a su entera satisfacción. Cuando destruyó a Sofía, lo hizo con palabras (sobreentendidas) (p. 170). Como su padre —y como Borja de *Primera memoria*—, su marido también utiliza las palabras como armas, y a pesar de que ella desprecia su incesante charlatanería, no se atreve a hacerle callar (p. 211). En cambio, Jorge la había tratado como a su igual en el reino verbal: «pusimos nombres juntos a árboles y a pájaros» (p. 221), y Clara le deja dominar la conversación hasta que pueden comunicarse en un lenguaje totalmente distinto.

El texto familiar no sólo funda(menta) la diferencia entre los sexos o los géneros en la sociedad, sino que también impone otras pautas o códigos de conducta social, un tema que ya he abordado en el capítulo sobre *Primera memoria.* Estos códigos controlan el gusto, la vestimenta, la apariencia física, el lenguaje, la etiqueta, el comportamiento y las actitudes «correctos». A la protagonista le ha costado mucho dominar estos códigos; después de cincuenta años, todavía titubea (p. 142). Miembro de una tribu normativa y logocéntrica, tuvo la desgracia de nacer dionisíaca (pp. 25, 88) y sin ningún don para el idioma tribal. No sólo es disléxica, sino también disfónica. Cuando de niña abría la boca para hablar, lo hacía «ante la consternación y el pasmo generales, porque cuando yo hablaba, y hablaba poco, se producían unos silencios tan incómodos y consternados que hasta yo comprendía que había dicho un despropósito, aunque no supiera cuál» (p. 193). Nunca llegó a dominar la entonación y las secuencias sintácticas adecuadas de «ese castellano adulterado y terrible de las mujeres bien de mi ciudad», a pesar de ir a las mismas escuelas selectas que ellas (p. 36).

Con Jorge, otro marginado, es por fin capaz de expresarse, y nunca le podrá perdonar el haberla frustrado en aquel placer, «el placer de contarle» (repite esta construcción cuatro veces, pp. 221-22). Después de hacerle creer que tenía derecho al diálogo, se suicida, abandonándola al final «sin darme [...] cinco minutos para hablar en mi defensa» (p. 224). Maldice su suicidio sobre todo porque con ese acto la despoja de la palabra que con tanta falsedad le había prometido compartir con ella. Al tomar su propio destino en sus manos, Jorge pone fin al libre juego de significados, optando por la palabra unívoca, por la historia con-sabida. Se «identifica» como héroe solitario, relegándola con ello al papel reverso de princesa desdeñada, sin «posible salvación o posible huida» (p. 225).

Si la aventura con Jorge representa una tentativa fracasada de encontrar la igualdad ante la palabra, la aventura con Clara es, en este sentido, lograda. En primer lugar, como hemos visto, las dos mujeres son capaces de turnarse en escuchar y hablar el dialecto estándar. Más importante, sin embargo, es su espontánea creación de un lenguaje completamente nuevo, «un idioma no aprendido», «este lenguaje que no nace en el pensamiento y pasa desde allí hasta la voz hecho sonido: nace hecho ya voz de las entrañas y la mente lo escucha ajena y sorprendida» (pp. 157-58); lenguaje que no está hecho para ser hablado sino cantado, entonado (p. 138). Esta lengua presenta un gran parecido con lo que Kristeva ha denominado «*le sémiotique* [en contraposición a *la sémiotique,* es decir, la semiótica]: el rítmico balbuceo de sonidos onomatopéyicos intercambiados entre madre e hijo/a, el lenguaje pre-edípico anterior al asentamiento del lenguaje simbólico del padre» (Marks, p. 837); y que Cixous ha llamado el *avant-langage,* al que la mujer tiene un acceso privilegiado, ya que «nunca ha cesado de oírlo desde dentro» (Richman, p. 75). Este lenguaje alternativo, tan cargado de posibilidades subversivas, deja de hablarse cuando la normatividad se reafirma en la persona de aquel parlanchín compulsivo, Julio. Sin embargo, en su única concesión a la esperanza, la narradora hace que la aventura con Clara termine sobre una nota de comunicación suspendida, pero no truncada. En la coda de la historia, la protagonista le da a Clara «la posibilidad que a mí me negó Jorge, la posibilidad de dar la réplica, de actuar en un sentido o en otro» (p. 226). Las últimas palabras de Clara demuestran que también ella ha aprendido el valor de la no-identidad, la indeterminación o la ambigüedad: «susurra, no sé si como último palmetazo de castigo o como signo de perdón, pero en cualquier caso como prueba de que hasta el final me ha comprendido: "... Y Wendy creció"».

Dos conclusiones que podemos sacar después de analizar el tema del discurso en *El mismo mar...* son: 1) que este texto, como la vida misma, sigue el modelo inmutable establecido por anteriores narraciones; y 2) que la palabra es el árbitro principal de la realidad. La tercera conclusión —lo codificado es aceptable/lo no codificado es inenarrable, perverso— generaliza y recapitula las dos primeras, por lo que seré breve al examinarla. Esta ley del mundo novelístico explica varios *leitmotive* aparentemente dispares de *El mismo mar...*, tales como juegos y rituales, teléfonos y timbres. Lo que todos ellos tienen en común es ser codificadores de la conducta. Al igual que las historias (a las que son comparados, pp. 49, 53, 59-60), una vez entablados dichos programas, hay forzosamente que permitirles llegar a la conclusión establecida (véanse, por ejemplo, pp. 35, 77, 79-80, 82, 125, 213). En la sección *&*, en la que reina la perversidad, estos codificadores son ignorados o corrompidos: se atiende a los timbres y llamadas telefónicas según el capricho del momento o no se les atiende en absoluto (pp. 183-84), se renuncia a los juegos (p. 162) y se anulan los ritos al mismo tiempo que las coordenadas espaciotemporales. Por la misma razón se adoptan valores subversivos, cuyo objetivo es «llevarnos a transgredir por fin todos los límites, a violar de una vez para siempre todas las normas, y luego a reinventarlas» (p. 185): la androginia (pp. 153, 183), la igualdad sexual (p. 185), la creatividad literaria femenina (pp. 185, 212), la homosexualidad, la *jouissance*.

La heladería es emblemática del mundo real codificado, donde «lo definitivo es el nombre», y uno sólo puede elegir «combinaciones previsibles y ortodoxas», no puede «escandalizar a la aburrida camarera [...] solicitando pecaminosas mezclas incompatibles y prohibidas, inventando cada vez manjares perversos o imposibles, en vez de pedir una vez más el helado de siempre» (p. 65). El bochornoso episodio de Copenhague —cuando la protagonista intenta tocar «las piernas imposibles» de la estatua de la Sirenita allí colocada, y se cae estrepitosamente en el agua—, ejemplifica su incapacidad para ser *comme il faut*[11]. Muestra su incapacidad de distinguir entre los códigos (sociales o de comportamiento) «reales» aunque no escritos, y los códigos de la ficción; y de descifrar (comportarse) correctamente tanto en un caso como en el otro. La comparación con Don Quijote es obvia: en ambos casos unas lecturas excesivas incorrectamente descifradas han exacerbado unas peculiaridades innatas; es un tema que se repite con frecuencia, como se ha visto, en la literatura femenina aquí enfocada. La protagonista lo reconoce: «aprendí a malvivir eligiendo palabras, nunca realidades» (p. 65); se pregunta, dirigiéndose a la figura de la Sirenita, «si tú y el bobo insigne de tu

---

[11] Tusquets ha modelado este episodio en una experiencia real de su amiga, Ana María Matute. Los comentarios de Tusquets y de Ana María Moix sobre esta transmutación están recogidos en Nichols, *Escribir...* (pp. 98, 117).

príncipe, y este mundo mágico del cuento donde aprendí a elegir palabras y a enamorarme de los sueños, no habréis contribuido un poquito bastante a hacernos, a hacerme cisco la vida [...]» (p. 68).

En este mundo novelístico hay otros inadaptados, cuyas actividades son descritas —y condenadas— bajo diversos sinónimos de «perversión» (en adelante subrayados). Entre ellos se incluye la abuela, quien como joven esposa era «*desafiante* y *sacrílega*» (p. 146), y llevaba trajes «*escandalosos*» en las fiestas de disfraces. El más «terriblemente *pecaminoso*» de todos era un traje de demonio, cuya maldad radicaba en que era «con casi cien años de antelación, precursor del *unisex*», prueba de «*promiscuidad*», evidencia de un «afán de *perversión*» (p. 95). Otra inadaptada es la mujer que ella llama el Ruiseñor, en honor al pájaro del cuento de Hans Christian Andersen. Como el pájaro de orfebrería del cuento, esta bella mujer ha sido traída de tierras lejanas «para recreo y ornato de un falso emperador» (p. 101. *Cf.* la colección de «piezas» de Julio). Cuando esta mujer-pájaro revela su verdadera voz *&*, «*distorsiona* [...] *monstruosamente*» la canción, produciendo «una salmodia *blasfema,* una salmodia *oscura y sin sentido —sin sentido* al menos en el mundo de Apolo y el emperador» (p. 102). En lenguaje *A,* la revelación de su diferencia —porque es lesbiana— sólo puede ser descrita como algo «*monstruoso*», «*enfermizo*», «*imposible*», «*equivocado*» (p. 104), «*perverso*» (p. 108). Se ríe de la convención que la ha relegado al silencio/inexistencia, y saca a relucir los trapos como si se tratara (horror de horrores) de compresas, «con una voz sangrante y *turbia,* como coágulos viejos de una sangre *sucia*» (p. 102).

Al final de la novela, todas las anomalías se han eliminado: la protagonista, como su abuela antes que ella, se ha instalado en la decorosa tercera edad prescrita a las mujeres de su casa; el Ruiseñor y la princesa azteca —Clara— han sido desterradas de la isla de los enanos por incorregibles y glosalálicas. Los inenarrables sueños del interludio *&* se desvanecen en un silencio entre paréntesis.

Al analizar el tema del discurso se hace patente la importancia de la intertextualidad en su sentido más amplio. La narradora intenta demostrar que si la vida no es más que una refundición de textos, lo escrito es la esencia y existencia de la vida. También en el más limitado sentido literario de la palabra, la intertextualidad es un elemento importante en *El mismo mar...* Se detectan en ella ecos de varias novelas de la posguerra española, entre ellas: *Primera memoria* de Ana María Matute (1960); *Tiempo de silencio* de Luis Martín Santos

(1962); *Señas de identidad* (1966) y *Reivindicación del conde don Julián* (1970) de Juan Goytisolo.

Existen múltiples recuerdos de *Primera memoria* en la obra de Tusquets, como ya he sugerido en el capítulo sobre la novela de Matute. Incluyen el motivo de los cuentos de hadas y de las narraciones infantiles (en particular la Sirenita y *Peter Pan*) en tanto que trágicos moldeadores de las vidas de las jovencitas; los dobles Jorges, el uno un santo, el otro un ídolo/amante; niñas pequeñas y sus dragones; la insularidad de su entorno catalán; el motivo de la metamorfosis; padres muertos o distantes; el encierro como destino de la hembra a-b-c; el racismo y los sistemas de casta colonialistas; la traición —sea por libre elección o forzada— tanto de un amigo del alma como del mundo ideal compartido con aquel compañero, un mundo no jerarquizado, andrógino, fuera del tiempo y del espacio.

Las novelas de Goytisolo, en particular *Señas de identidad,* son esencialmente modelos literarios para la desmitificación de la a-b-c. Las paradigmáticas *señas* de Álvaro son las *historias* sintagmáticas de nuestra protagonista: absolutamente constitutivas; su «parasitaria casta» es la «raza de enanos» de ella, el «clan» con su «moral de pequeños tenderos y comerciantes» (p. 191). En *Reivindicación...,* se prescribe la violenta perversión sexual, preferiblemente interracial —igual a la que transformó al Alvarito narrador en un personaje *&*— para curar a España de sus múltiples represiones sexuales, políticas, sociales, intelectuales.

No obstante, *Tiempo de silencio* —con su ininterrumpida parodia de la jerárquica y cerrada sociedad española— parece ser el intertexto decisivo. Los paralelismos entre estas dos novelas son tan variados e importantes que merecen un estudio aparte; yo sólo puedo citar los más significativos. El primer eco de *Tiempo de silencio* viene en la descripción que la narradora hace de «mi ciudad» (que no se identifica con Barcelona hasta el final de la novela), paralelo a la sección de Martín Santos «Hay ciudades tan descabaladas [...]» (pp. 13-17), que describe Madrid también sin identificarlo. Ambos narradores consideran la ciudad un factor material que moldea la vida de los protagonistas. Madrid, centro burocrático de la nación, ha hecho de Pedro un ultradesarrollado funcionario del gobierno, mientras que el centro mercantil del país ha hecho de nuestra protagonista una ultradesarrollada burguesa. Además de numerosas semejanzas en cuanto a la dicción y el estilo, estas novelas comparten unas metáforas extensivas: la de la sociedad estratificada en tres gradas (Martín

Santos: el auditórium de dos niveles *cum* salón de baile; las tres mujeres de la pensión. Tusquets: el menú de la heladería; las tres mujeres de la familia de la protagonista); la de la alta sociedad como aves; la del aquelarre. Estas metáforas, a pesar de su semejanza externa, significan de modo tan distinto en las dos novelas que la lectora se ve obligada —y ello es una señal del talento de Tusquets— a reexaminar ambos textos. Si bien los dos protagonistas entablan parecidas luchas contra un orden social hipercodificado (M S: «Cada cual con su cadacuala y clás con clás», p. 160), Pedro tiene cierta ventaja sobre ella ya que por lo menos pertenece al sexo hegemónico. Pero la protagonista de Tusquets tiene una ventaja compensatoria; es rica y pertenece a la clase alta. Sin embargo, al final su común dislexia les aniquila. Ambos se ven atrapados como insectos (él una mosca, ella una mariposa) en sus respectivas circunstancias, condenados a una muerte en vida por sus múltiples errores de descodificación.

El estilo literario de *El mismo mar...* también merece comentario[12]. Su complejidad verbal la asemeja a algunos de los grandes textos desmitificadores del Siglo de Oro. Es un estilo caracterizado por las anomalías sintácticas (hipérbaton, disyunción, paréntesis, anacoluto, paradoja, polisíndeton, paralelismo); por las abundantes figuras (anáfora, sinécdoque, metáfora, símil, concepto, hipérbole, apóstrofe, lítote, antítesis); y otras pirotecnias verbales. También vislumbramos aquellos textos del Siglo de Oro en las diversas posturas desfamiliarizadoras que adopta la narradora: la sátira (la ópera, el casino, Maite, Julio); la parodia (ambos ejemplos nos recuerdan *Los viajes de Gulliver,* uno de los modelos usados por Shlovski para

[12] Un comentario de Sylvia Truxa sobre la versión original de este trabajo —donde yo afirmaba que el estilo literario de Tusquets, debido a su complejidad, estaba «marcado respecto de la norma narrativa contemporánea»— me llevó a replantear tal afirmación. Truxa está en lo cierto al subrayar que en 1978 el estilo de Tusquets no era especial. Cito las palabras de Truxa: «en ese período a mí me habría sorprendido más como lectora un estilo llano y simple» (carta personal del 9 de febrero de 1985).

A quien sí le sorprendió el estilo, según me contó en una entrevista, fue a Tusquets misma: «Con mi primera novela, no había un plan previo del estilo en que iba a escribir; más bien hay una historia que quiero contar, entonces empiezo a escribirla y me sorprende el estilo. Me sorprende que sea tan lleno de paréntesis, y de incisos y de guiones, con frases que duran cuatro páginas [...]. Más bien me chocó un poco, seguro que si me hubieran preguntado cómo quería escribir, o lo que a mí me gusta, no hubiera dicho jamás esto» (Nichols, *Escribir...*, pp. 73-74).

ejemplificar la *ostranenie*: el Enano y el Pezón, la Apoteosis de las Tetas); la alegoría irónica (la abuela y el buey; la madre como diosa; la matrona como ruiseñor). El que la narradora nombre con frecuencia y naturalidad tantos personajes clásicos y míticos también recuerda aquellas obras del pasado.

El uso deliberado de este estilo barroco tiene diversas consecuencias, internas y externas. La erudición subraya el carácter libresco y literato del texto; no cabe confundir *El mismo mar...* con la «realidad» no mediada, o con una conversación sorprendida al azar: es un texto deliberadamente literario, aunque sea uno entre tantos. La densidad de su estilo contribuye a alienar al lector, interponiéndose entre éste y los acontecimientos o personajes de la historia: lector $\neq$ protagonista. No obstante, al sentirse alienado por el texto, el lector experimenta la emoción que desde siempre ha preponderado en la protagonista, alienada por su propia vida (texto): lector $=$ protagonista, después de todo.

Pero muy probablemente la elección de la narradora a favor de hacerse eco de los estilistas barrocos se deba a otra razón, que tal vez tenga más peso y que sólo podemos mencionar sin detenernos a entrar en los detalles. Lo mismo que sucedió con el artificio verbal de aquellos estilistas, que ayudó a ilustrar algunos de los dogmas de su *Zeitgeist* —que el mundo es endiabladamente difícil de leer «correctamente»; que lo que parece «real» (tangible) es en realidad «irreal» (temporal), y viceversa— sucede ahora con el artificio verbal de nuestra narradora. Ella cree que los códigos que en su mundo determinan la norma y la anormalidad son tan arbitrarios, insolubles y difíciles de descifrar como lo fueron en otros siglos los límites de la realidad y de la irrealidad. Ilustra la naturaleza arbitraria de dichos códigos en su léxico, mediante el uso repetido de largas palabras formadas con prefijos privativos (*des-, in-,* etc.). En el país en que «lo definitivo es el nombre», un prefijazo condena lo des-conocido a la in-significancia. De un modo parecido, la no-aria, in-conformista, «absolutamente irrecuperable» (p. 192) protagonista ha sido condenada a la in-existencia, a una muerte en vida.

Un último aspecto de esta novela que merece mención es su ritmo poco común. Del mismo modo que el sintagma que constituye la novela se rompe, interrumpido por la sección *&*, las frases que la componen quedan fracturadas y distendidas por las interpolaciones e incisos. De ahí que una sola frase ocupe varias páginas; en las nueve primeras páginas de la novela, por ejemplo, sólo hay quince frases, ocho de las cuales se dan en las dos primeras páginas. Faltar así deliberadamente a la educación gramatical —aunque hay que señalar que las frases en cuestión no infringen ninguna regla, ni ortográfica ni gramatical— refleja el deseo de la narradora de comunicar la diferencia de un modo distinto. Resiste las trabas impuestas por la perentoriedad de la frase expositoria convencional, optando por jugar con lo que Xavière Gauthier ha denominado (en un contexto algo distinto) los «huecos del discurso» (p. 163), los espacios u holguras entre los significantes del sintagma. Esta morosidad deleitosa poco ortodoxa a nivel del sintagma —parecida a la *différance* de Derrida, es homóloga con la aventura *&* a nivel de la historia, y ambas pueden ser interpretadas como una tentativa de inscribir una economía libidinal distinta.

En muchos aspectos, el final de *El mismo mar...* funciona como recapitulación de los conflictos básicos de la novela. Ofrece una conclusión «respetable» con la reconciliación de la pareja separada y, al mismo tiempo, un final casi imperceptiblemente abierto para la aventura *&*. El análisis de este desenlace, entonces, sirve para concluir el estudio de la novela.

Parece justificable enfocar la conclusión de esta obra barroca en términos musicales, dado sus constantes referencias a la música clásica. La narradora considera las pautas melódicas esencialmente como lineales, y, así, como una codificación más de la misma vieja historia $A = A$ (pp. 45, 88). El retorno del texto a la narrativa A podría, pues, interpretarse en términos musicales como una repetición, la cual (y cito por apropiada la descripción de una parte de una sinfonía mozartiana, hecha por Leonard Meyer) «crea una clausura de alto nivel porque se restablece la armonía tónica después de una desviación relativamente prolongada, y porque las pautas melódico-texturales de la I parte están re-presentadas —aunque con modificaciones significativas» (p. 741). Los móviles principales de la I parte de *El mismo mar...* —la vida adulta y el matrimonio de la protagonista considerados como farsas; las ir-regularidades congénitas de ésta respecto a la norma patriarcal de su propio clan; la primavera como reposición anual de su enajenación definitiva de la vida—, se repiten todos, con variaciones, la noche de su reconciliación con Julio. La armonía tónica restablecida es fúnebre, naturalmente, pero así es *comme il faut* para una vida en «el mismo mar de todos los veranos».

El último fragmento de la novela, la despedida de Clara, es una coda, en la que se recapitulan todos los motivos de la sección *&*. La última frase de la novela, «Y Wendy creció», es homofónica con la primera, por lo que parece proporcionar una clausura enfática. Pero, una vez más, la narradora socava esta fácil identidad $(A = A)$, insinuando la naturaleza indeterminada de la frase en sí; cualquier tipo de identidad se presenta como puramente morfológica. A nivel del discurso, la frase en tanto epígrafe señala en dos direcciones: hacia el texto ya completo de Barrie (por motivos que en ese momento no estaban claros), y hacia el texto todavía sin constituirse de *El mismo mar...* En tanto que frase final de la novela, su función ha cambiado completamente: resume, interpreta e inserta *El mismo mar...* en una determinada cadena intertextual.

En relación a la historia, estas tres palabras constituyen la última muestra de comunicación entre Clara y la protagonista, quien, muy significativamente, no sabe cómo interpretarlas. Tan indeterminadas son que pueden ser interpretadas diametralmente: «como último palmetazo del castigo o como signo de perdón». Pero, si bien fracasan en tanto que comunicación exacta o unívoca, triunfan a nivel afectivo, puesto que resumen la historia compartida de las dos mujeres, la mutua comprensión de las fuerzas y las limitaciones de cada una, «prueba inequívoca de que hasta el final me ha comprendido». En concreto, la limitación de la protagonista es [creer] ser demasiado vieja para aprender a volar, y la fuerza de Clara es ser joven, extranjera, y haber sobrevivido su primer amor «intacta o casi intacta»: a lo mejor aprende a volar un día, a diferencia de la protagonista, «porque yo —aún traicionándola— le he dado la posibilidad que a mí me negó Jorge, la posibilidad de dar la réplica, de actuar en un sentido o en otro» (p. 226).

Por tanto, la coda tiene una clausura que no es hermética, con Clara en camino de despegar. Por fin, la protagonista encuentra paz, en el mismo viejo mar del verano, al cual todos los ríos de la primavera deben desembocar, y allí terminar su fluir: «supe todo esto con certeza casi total desde el principio mismo de nuestra aventura —de nuestro amor—» (p. 228).

5. LA PRIVACIÓN EN LA LITERATURA INFANTIL DE MATUTE

A pesar del gran interés que presenta la narrativa infantil de Ana María Matute, la crítica académica, atenta siempre a lo canónico, ha prestado muy poca atención a estos escritos. Porque la literatura infantil, como la novela policíaca o rosa, como los escritos de los gays, etc., no ha formado parte nunca del canon de la literatura-de-verdad. Es sólo en los últimos años cuando las minorías críticas —las que no ocultan su ideología, como la feminista, la africano-americana, la gay, la tercermundista, etc.— han juntado suficiente poder en los foros académicos norteamericanos para lograr que se empiece a considerar dignas de estudio tales literaturas, «hijastras» de la familia modelo. Empieza ya a verse algún que otro artículo, por ejemplo, sobre la literatura infantil en las revistas académicas «serias», pero todavía no es frecuente, ni mucho menos tratándose de literatura infantil hispánica. Probablemente no sea casualidad que en los círculos hispánicos de Estados Unidos haya sido una mujer, Janet Pérez, la que ha encabezado la incipiente «canonización» de la literatura infantil, y que haya contado con la colaboración de muchos más críticos mujeres que hombres.

A Matute se la conoce casi exclusivamente por sus novelas y cuentos para adultos, pero la continuidad de su producción en el campo de la narrativa infantil sugiere que ésta ocupa también un lugar importante en su trayectoria literaria. Empezó a escribir para los niños cuando ella misma no tenía más que cinco años; más adelante, escribió para su hijo, y más recientemente rompió los años

---

Una versión abreviada de este capítulo, «The Perils of Paulina, or, Privation in Matute's Fiction for Children», fue leída en el Congreso de la Modern Language Association de 1983. La versión ampliada, «Privation in Matute's Fiction for Children», fue publicada en *Symposium,* 39 (1985), pp. 125-36. Reimpreso con el permiso de la Helen Dwight Reid Educational Foundation. Publicado por Heldref Publications, 4000 Albemarle St. NW, Washington, D. C. 20016. Copyright © 1985. Traducción al castellano de Maite Cirugeda con la ayuda de la autora.

de silencio que siguieron a la publicación de su última novela para adultos, *La torre vigía* (1971), con una nueva obra dirigida a los niños, *Sólo un pie descalzo,* que le mereció el Premio Nacional de Literatura Infantil y Juvenil de 1984. Así pues, tanto por su valor literario intrínseco como porque indudablemente constituye una parte importante de la producción global de Matute, su obra dirigida a los niños y a los jóvenes merece que la crítica le preste una mayor atención.

Yo me propongo presentar esta narrativa a los lectores que la desconozcan centrándome en las muestras que aparecen en el tomo 5 de la *Obra completa* de Matute: «El país de la pizarra»; «El saltamontes verde»; «El aprendiz»; «Caballito loco»; «Carnavalito»; *El polizón del «Ulises»*; *Paulina, el mundo y las estrellas*; y en *Sólo un pie descalzo*. Tras comparar *Paulina...* brevemente con algunas de las novelas para adultos con las que seguramente la lectora estará más familiarizada, la analizaré más a fondo por considerarla paradigmática de su literatura juvenil [1]. Describiré los sintagmas narrativos característicos de los dos grupos narrativos de la obra de Matute, ya que la diferencia entre éstos ilumina ciertos aspectos de su estrategia narrativa que no han sido estudiados hasta el momento. El desarrollo de *Paulina...* ejemplifica la secuencia narrativa de su literatura juvenil, que se nos revela siguiendo una dirección diametralmente opuesta a la de su literatura para adultos. Hay comentarios empotrados en la narrativa infantil que parecerían señalar que la autora siente una cierta aprensión al escribir, y que ponen de manifiesto su concepto de la «realidad» y de la responsabilidad del escritor para con el lector.

En una primera lectura de su literatura juvenil, percibimos afinidades de lenguaje, de temas, de escenarios y de técnicas de caracterización con algunas de sus obras para adultos, tales como *Historia de la Artámila, Los niños tontos, Tres y un sueño, Algunos muchachos, Fiesta al noroeste* y *Primera memoria.* Tanto Janet Díaz (Pérez) como Noël Valis mencionan esta similitud en sus observaciones sobre la narrativa dirigida a los niños. Díaz escribe: «generalmente, la literatura juvenil de Matute comparte ciertas características

---

[1] *Paulina...* y *El polizón...* se difieren de los cuentos del grupo ya que son más complejos en su técnica, más referenciales (o lo que viene a ser lo mismo, menos fantásticos/alegóricos). Sin embargo, ninguna de estas diferencias atañe al análisis de estructuración y de temas aquí emprendido. De toda la narrativa juvenil, sólo «El país...» difiere de manera radical del modelo básico.

con sus obras de juventud no publicadas y con sus escritos para adultos, en particular los cuentos fantásticos [...]. Hay otros temas que esencialmente son los mismos en todas sus obras, de modo que, en algunos casos, mirar su obra juvenil sirve para aclarar determinados aspectos de su literatura para adultos» (p. 115). Valis llega a la misma conclusión: «La literatura infantil de Matute es, ante todo, una expresión personal de la realidad, una visión subjetiva que continúa y enlaza con sus libros escritos para adultos. A este respecto, se ha dicho repetidas veces que su obra representa "un mundo novelesco", todo un universo especial [...]» (p. 408).

A pesar de dichas afinidades, hay una diferencia fundamental entre los dos mundos novelísticos. En la literatura juvenil, todo acaba bien: el hambre queda saciada, los huérfanos encuentran familias, los avaros se vuelven generosos, las princesas perdidas son rescatadas y los proscritos aceptados. En las diversas novelas sobre degeneración y caída que forman parte de su obra para los adultos, los finales son uniformemente pesimistas. Faltas de la fuerte sensación de clausura de las obras juveniles, estas historias terminan mucho más con un quejido que con una explosión, para usar las palabras de T. S. Eliot, confirmando todas las sospechas que el texto ha suscitado acerca de la crueldad del ser humano y de sus estructuras sociales, del rigor implacable del tiempo, de la inutilidad de la esperanza. Por eso, si bien es cierto que las exposiciones de las dos narrativas apuntan hacia el mismo mundo, no es menos cierto que una y otra divergen en sus respectivos desarrollos de este mundo.

La privación es la situación inicial común a ambas narrativas; con frecuencia el escenario subraya dicha característica (por ejemplo, centros rurales empobrecidos, o una isla atávica y distante), pero son los personajes principales los que más encarnan esta condición. Ya se trate de huérfanos, excéntricos o pobres, como de mudos o de tullidos, todos ellos se caracterizan por una carencia de algo importante[2]. Esta falta nunca llega a resolverse en las obras para adultos,

[2] El uso de tal fórmula inicial, que coincide con la descripción que hace Vladimir Propp de los comienzos de los cuentos de hadas (donde o hay una víctima a quien se le acaba de herir, o donde falta algún elemento crucial), atestigua la gran familiaridad de la autora con los cuentos de hadas, sobre todo los de los hermanos Grimm y de Hans Christian Andersen. Tan pronto como aprendió a leer (y era muy precoz lectora: a los tres años), empezó a devorar los cuentos de esta clase, y muy poco después (a los cinco años), a imitarlos en su propia escritura. Véanse sus declaraciones a Díaz (p. 26), y su relato autobiográfico, «Diciembre y Andersen», incluido en *A la mitad del camino*

cuya secuencia narrativa podría describirse: estado de privación → aparición de un ayudante o *alter ego* que promete remediar la privación → unión frustrada por las prohibiciones culturales → privación intensificada. En cambio, en la literatura infantil (como en el cuento de hadas analizado por Propp) se resuelve la carencia del modo siguiente: estado de privación → aparición de *alter ego* prometedor → crisis y mutuo reajuste → privación resuelta. Estos finales felices no quedan suavizados por el pragmatismo o el categórico derrotismo que vemos en los cuentos de Grimm y de Andersen que son los predilectos de Matute, «La Reina de las Nieves» y «La sirenita». Todo lo contrario, presentan peripecias enternecedoras (como en el caso de *Sólo un pie...*, *Paulina...*, *El polizón...* y «El aprendiz»), o desenlaces en los cuales se atan todos los cabos sueltos problemáticos («Carnavalito», «El saltamontes...», «El país...», «Caballito loco»).

A juzgar por sus textos, la propia Matute parece considerar facticios estos finales. En *El polizón...*, «El saltamontes», «El país...» y «Carnavalito», se encuentran debates *metafictivos* sobre la conveniencia de decir «bellas mentiras» a los niños. A lo largo de toda su obra, Matute hace hincapié en la dificultad que supone para los niños distinguir entre lo «real» y lo imaginario. La recepción por parte del niño del texto literario —lo toma al pie de la letra— puede resultar peligrosa[3]. En los libros para adultos, no es infrecuente que los niños sufran durante toda su vida las amargas consecuencias —que a veces pueden llegar a acarrearles la muerte— de haberse expuesto a la influencia de un embustero sin escrúpulos: Dingo en *Fiesta al noroeste,* Marco en *Pequeño teatro,* el hombre en «La oveja negra»; o de unos textos poco realistas (optimistas, fantásticos, subversivos): Matia en *Primera memoria*, Ferbe en «El rey de los Zennos», la

(pp. 159-61). Muchos de sus cuentos escritos en la infancia son de hadas, ilustrados con dibujos de gente de facciones nórdicas, y llenos de personajes cuyos exóticos nombres parecen vagamente nordeuropeos: Volflorindo, Brokowy, Tanno, Rjokwy, Kay. «Fantasía», escrito a sus cinco años, es el cuento más temprano que se conserva de Matute. Junto con los ológrafos de ocho cuentos más, se encuentra en la Biblioteca Mugar Memorial de la Boston University.

[3] En su estudio sobre el proceso de lectura, Stierle utiliza al niño lector como ejemplo de un receptor de textos en su estado «más puro y menos limitado»: su recepción de un texto es «casi pragmática» (o sea, casi literal). Para el niño, según Stierle, «el mundo imaginario del cuento de hadas es una verdadera presencia; todavía ignora su mediatización verbal. Es por eso que lo imaginario, aunque fijado por el lenguaje, puede tener un impacto tan poderoso en el niño» (p. 85).

protagonista de «La oveja negra». En la narrativa dirigida a los niños, y a pesar de que los jóvenes oyentes nunca se ven adversamente afectados por las historias que les relatan, los cuentistas son presentados como mentirosos que deben justificar o reparar sus embustes. El polizón se ve obligado a expiar sus mentiras en la cárcel; al personaje llamado Carnavalito se le convoca para que justifique su «puñado de mentiras» sobre el Día del Juicio Final. Su primera justificación, que no se trata de «mentiras negras, son mentiras de colores que no hacen daño a nadie. Antes bien [...] son como la esperanza» (p. 622), no se considera suficiente. Sólo se le perdona después de que pruebe que sus cuentos motivaron a los niños a buscar un mundo mejor.

Ésta podría ser la descripción de Matute de una «ficción justificable» para los niños: además de incitar a la esperanza, debería indicar el camino hacia un mundo mejor. Siguiendo este criterio, no puede considerarse que sus «mentiras» obtengan el éxito deseado, porque si bien es cierto que incitan a la esperanza, no indican el camino hacia un mundo mejor en el que la esperanza pueda un día ser realizada. No satisfacen dicho motivo por dos razones: primero, injertando lo que ella misma considera una secuencia narrativa facticia en un mundo miméticamente reproducido, Matute produce un universo híbrido donde todo final, incluido la muerte, es un final feliz, pero en el que persisten muchas injusticias fundamentales. Todo lo cual contribuye a la verosimilitud del texto, pero no a la consecución de un mundo mejor. Segundo, el modelo para una mejora social propuesto en esta novelística es inadecuado. Es el concepto cristiano de la caridad según el cual el rico da algunas limosnas a los pobres, y los pobres tienen que recordar que suyo será el reino de los cielos. Aceptar este modelo comporta aceptar también el concepto cristiano de un mundo jerárquico y contrastado, caído y desperfecto. En un mundo así, los pobres (los huérfanos, lisiados, mudos, etc.) son estructuralmente indispensables, y si los protagonistas de Matute ponen remedio a una privación, otra emergerá, como en el mito de Hidra, para reemplazarla.

He elegido *Paulina...* como texto modelo de este estudio tanto porque es una de las obras juveniles de Matute más ricas, como porque constituye un elegante contraste con su mejor conocida *Primera memoria,* analizada en el capítulo 3, que puede tomarse como modelo de su obra para adultos. Ambas novelas fueron publicadas en el año 1960, y *Primera memoria* parece ser, en muchos aspectos, la continuación del discurso iniciado en *Paulina...*

Las dos obras están escritas en el estilo narrativo de las memorias, pero la prosa de *Paulina...* (como la de toda la novelística juvenil de Matute) es simple y familiar, adecuada a la edad de Paulina, la protagonista narradora, que tiene trece años. *Primera memoria* cuenta también con una protagonista narradora, pero Matia, una mujer de mediana edad, está mucho más distanciada temporal y psicológicamente de la Matia adolescente cuyas actividades recuerda; la novela es mucho más compleja, literaria y poética que *Paulina...*, la cual resulta más lineal. Esta última relata el invierno de los once años de Paulina, cuando se la llevaron de la ciudad a la montaña para que pasara una convalecencia en casa de sus abuelos (en el nivel de la historia, se observan muchas semejanzas con *Heidi,* la novela juvenil de Johanna Spyri). Allí trabó amistad con Nin, un chico ciego y enfermizo cuyos padres trabajaban como aparceros para su abuelo. Nin pasaba los inviernos en casa de este último, porque se temía que en la choza de sus padres no sobreviviera. Aquel invierno, Paulina conoció el placer de ayudar a los menos afortunados: compartió con Nin su «riqueza» enseñándole a leer. Su recompensa fue sentir por primera vez «que yo era útil [...] que yo podía servir par algo» (p. 422), y simultáneamente, que sus propios problemas no eran tan importantes como los de su amigo. Junto con la compasión, adquirió la resignación.

En Navidad, la madre de Nin tuvo otro hijo (en este texto «sobredeterminado», se pierden pocas oportunidades de comparar a Nin y a sus padres con la Sagrada Familia) [4], y el muchacho, febril y añorado, se escapó de la casa grande para regresar a su hogar. En el viaje, se desató una ventisca, Nin se perdió, y el abuelo salió a rescatarlo. En el cuento dirigido a los adultos «Navidad para Carnavalito», un viaje con visos de parecida heroicidad resulta en la muerte del chiquillo, pero aquí no: en este caso precipita la inversión o peripecia utópica de la novela. Tras consultarlo con su heredera, Paulina, el abuelo decide dividir sus tierras entre los aparceros [5].

---

[4] Empleo el término «sobredeterminado» tal como lo define Brooke-Rose en su artículo, «The Readerhood of Man» [La lectura del hombre]: «Un código está sobredeterminado cuando su información (narrativa, irónica, hermenéutica, simbólica, etc.) está demasiado explícita, sobrecodificada, recurrente más allá de su necesidad para proveer información» (p. 123).

[5] La aplastante ortodoxia de esta novela debe haber pesado en la mente de los censores, porque si no, no se explica cómo dejaron pasar las palabras del abuelo, que

La conclusión de la novela toma la forma de un epílogo que lleva a la lectora al «presente» (o momento de la redacción). Una vez finalizadas las memorias propiamente dichas, Paulina examina los cambios que han tenido lugar durante los tres años transcurridos desde aquel invierno: tiene un hogar tanto físico como espiritual en casa de sus abuelos (cuando no se encuentra en el internado); la familia de Nin goza de una hacienda acomodada, y el chico va a la escuela en la ciudad preparándose para llegar a ser «un hombre muy importante» (p. 530); los dos amigos comparten unos felices veranos en las montañas. Esta conclusión estética y emocionalmente satisfactoria difiere diametralmente de la abrupta y desconcertante conclusión de *Primera memoria.* A pesar de estar más distanciada que Paulina de los acontecimientos recordados, la Matia adulta que recuerda ese «año gozne» no ha podido dominar su reacción emotiva al contar la traición que cerró ese año y la precipitó en el mundo caído de los adultos. Como resultado de esta reacción, cuenta el final atropelladamente, alterando el ritmo lento de la novela para sepultar antes su dolor.

Las últimas palabras de Paulina, un himno a la primavera, son un ejemplo de lo que Shlovski llama un «final ilusorio»: «Por regla general las descripciones de la naturaleza o del tiempo suministran el material de los finales ilusorios [...]. Este nuevo motivo se inscribe como un paralelo a la historia precedente, gracias a lo cual la historia parece completarse» (citado en Culler, p. 223). En esta novela, el paralelo puede trazarse entre Paulina/Nin y la primavera, todos ellos suspendidos en el borde de la plenitud. Ha desaparecido el antiguo miedo que la primavera inspiraba a Paulina, que temía tener que regresar en aquella estación a la ciudad. Ahora, el futuro no la asusta, ni tampoco se le ocurre que pueda ser desterrada nunca más de su paraíso rural. En las obras matutianas para adultos, en cambio, la expulsión del niño del mundo paradisíaco de la primavera es tan inexorable como trágico. En *Primera memoria*, Matia se pasa un año intentando adaptarse al hecho cultural de que a los catorce años (no

---

parecen tomadas de una arenga comunista o republicana: «La tierra es para el que la ama —dijo entonces el abuelo—. Para el que sufre y trabaja en ella» (p. 523). También cabe pensar que la censura de la literatura juvenil, que a partir de 1944 se hizo no a nivel nacional sino provincial, era menos dura que la de las obras para adultos. Véase Manuel Abellán sobre los problemas de Matute con la censura nacional (pp. 78-81, 93, 163, 169).

más que Paulina) su primavera ha concluido, su paraíso se ha perdido definitivamente.

La privación, común a toda la novelística de Matute, es un rasgo central en *Paulina...* Es una calificación de los personajes y del lugar; es una función que empuja a la narrativa hacia su resolución; y es portadora de un significado simbólico (brevemente examinado en la conclusión). La caracterización inicial de la protagonista se hace en términos de privación: no tiene padres, ni hermanos ni hermanas, ni primos, ni hogar, ni salud, ni cabello, ni apetito, ni fuerza, ni estatura, ni belleza, ni un género obvio, ni facilidad para expresarse; ni siquiera su propio nombre le pertenece (siendo «Paulina», como ella misma observa, una herencia de su padre). Dada la naturaleza esencialmente referencial de esta novela, muchas de estas carencias no pueden remediarse (por ejemplo, unos padres muertos no pueden ser resucitados) pero pueden mitigarse en mayor o menor grado. Este proceso de mejoramiento se lleva a cabo en todos los frentes que presentan carencias, a distintos niveles; provee la frase hermenéutica (utilizando otra vez el término de Barthes para designar el enigma-a-resolver) que estructura el desarrollo de *Paulina...* y de todas las obras juveniles, confiriendo a cada una de ellas su ritmo y perfil particulares.

La función de Nin en la estructura de la novela se hace evidente en cuanto nos enteramos de que tiene la misma edad que Paulina y de que es ciego: será su *alter ego,* un doble (no idéntico) en la privación[6]. El nombre poco corriente de Paulina, que recuerda a San Pablo y su ceguera, refuerza esta interpretación (la propia protagonista observa que deriva de Pablo momentos antes de revelarnos la ceguera de Nin, pp. 413-14). Siguiendo un modelo que se irá repitiendo con determinadas variaciones en la mayor parte de la narrativa infantil matutiana, estos personajes dúplices y privados

---

[6] El concepto del doble no-idéntico es de Gilbert y Gubar. Dicen estas investigadoras que las escritoras femeninas a menudo crean un segundo personaje rebelde o no conformista que contrasta con la sumisa heroína, «para así dramatizar su propia división, su deseo por un lado de aceptar las limitaciones de la sociedad patriarcal y por el otro de rechazarlas» (p. 78). Sin caer en la simpleza de decir que el dúo Paulina/Nin representa los sentimientos de *Matute,* sí creo que sirve para expresar la ambivalencia que muchas niñas deben sentir frente a la perspectiva de «hacerse mujer» en una sociedad falocéntrica. Si bien quieren, como Paulina, pertenecer, encajarse cueste lo que cueste, también pueden querer huir, como Nin, a un lugar que consideran el suyo propio.

constituirán la «pareja perfecta», basada en sus carencias complementarias. Con el tiempo, estas relaciones aproximadamente igualitarias evolucionan, y uno de los partícipes se perfila como dominante (el saltamontes, Ezequiel, Carbonerillo, el polizón, el Príncipe). En *Paulina...,* es Nin quien así se destaca, a pesar de su grave impedimento físico. Paulina lo considera natural, y proyecta con complacencia esta asimetría en el futuro, en el que ve a Nin *convirtiéndose* en «un hombre muy importante», y a sí misma *quedándose* (como) una chiquilla de trece años (p. 530). Las demás narraciones presentan una variante interesante de este desenlace: después de que uno de los dos miembros emerge como dominante y de que esta superioridad es aceptada, el uno o el otro muere o queda eliminado por otros medios. De este modo, el matrimonio —pues ésta es, sin lugar a dudas, la relación aludida— nunca se disuelve desde dentro, y al lector se le induce a creer que, de no haber sido por la intervención de un destino cruel, hubieran vivido felices, comiendo perdices.

Para volver a las carencias específicas de Paulina, resulta evidente que la orfandad es su principal aflicción. Ha perdido incluso el recuerdo de sus padres, que murieron cuando ella era muy pequeña. Mudarse a la casa de sus abuelos paternos constituye el primer paso en una recuperación indirecta de su padre (y también de su madre, como veremos más adelante). Ya que formaba parte de esta casa, se le menciona en ella algunas veces, pero las tres huellas que allí dejó no hacen más que subrayar la idea de pérdida o de ausencia: las muescas que hizo en un árbol, que marcaban su crecimiento en centímetros; un caballito de cartón viejo y tuerto; y un dormitorio, cerrado y vacío desde que él se fue. Gradualmente, Nin va llenando estos «agujeros», en un proceso de desplazamiento de claro valor simbólico: hace nuevas muescas, más frescas y profundas; llega a dormir en la cama del padre que tanto tiempo había permanecido vacía; y más adelante llega a montar un pony de carne y hueso, con sus dos ojos, que Paulina le ofrece. De este modo la hija recobra a su (relación con su) padre en su sucesor; Nin es un protoesposo.

La madre de Paulina, por su parte, no dejó huella alguna, ni tan siquiera parientes, que pudiera hacérsela recordar a la niña. Sin embargo, la reacción de Paulina ante la palabra «madre» sugiere que algo recuerda de la mujer que la trajo al mundo; la imagen que utiliza para describir esta «sensación maternal» demuestra su conocimiento (por más subliminal que sea) de lo que la maternidad significa: «cuando dijo "madre", a mí me subió algo por la garganta; algo como si un pájaro quisiera escaparse» (p. 432).

A diferencia de la huérfana Paulina, con su fría tutora y sus reservados abuelos, Nin tiene unos fuertes lazos de unión con sus padres, en particular con su madre. Mantiene presentes a sus padres al pensar constantemente en ellos, y realiza todas sus actividades o para complacerles o para hacer pasar más velozmente el tiempo que falta para que pueda reunirse con ellos en Navidad. Esta fiesta familiar constituye en *Paulina...* un poderoso foco temporal y temático: los dos niños se pasan días enteros preparando el Belén, con lo cual esa imagen de la familia ideal, la Familia por antonomasia, está siempre presente a los ojos del lector. El día de Navidad, Paulina ve a Nin rodeado de parientes y sirvientes, que parecen formar una gran familia unida ante sus ojos de intrusa (p. 460). Así, incluso no estando con sus padres, Nin es un «hombre de familia», y la llegada de un nuevo hermanito no hace más que reforzar dicha impresión.

Las carencias de Paulina se resuelven por etapas y a diversos niveles. Casi inmediatamente después de su llegada, Nin se convierte para ella en un hermano. Él mismo hace explícita esta relación el día de Navidad, diciéndole que ahora ella tiene dos hermanos, «yo y el que nace» (esta anfibología subraya la identidad Familia de Nin = Sagrada Familia). Después del salvamento de Nin, la familia del chico, que se ha convertido en la familia de Paulina, se muda a la casa de los abuelos para pasar allí el resto del invierno. Por aquel entonces, Paulina está tan unida a su abuelo que éste la llama hija.

En casi todas las obras infantiles —las excepciones son «El país...» y *Sólo un pie...*— el protagonista es un huérfano, hasta en el caso del caballito, cuyos progenitores mueren a mitad de la historia. Como Paulina, todos ellos logran remediar esta situación, algunos de una manera realista y otros de un modo más bien imaginario. A Jujú, el niño expósito, le adoptan —y más adelante devolverá el favor— tres hermanas solteras; el huérfano Yungo consigue reunirse con sus padres en el «Hermoso País» al final de «El saltamontes...». El herrero huérfano de «Carnavalito» adopta al expósito Bongo, con lo cual ambos obtienen una familia, y cuando matan al herrero, su espíritu anima a Bongo a formar otra familia compuesta de niños sin padres y de padres sin niños. El avaro Ezequiel es un hombre sin amigos ni parientes hasta que la bondad del aprendiz lo transforma: termina sus días amado por el pueblo entero, donde «todos le llaman Abuelo» (p. 584). En «Caballito loco» se constituye una familia elemental entre el pony Caballito y el bandido. Para formar esta unión, que tiene todas las apariencias de un matrimonio donde el marido maltrata a la mujer, el pony abandona hogar, familia y libertad para jugarse su suerte con el sádico bandido Carbonerillo. Espera satisfacer con su propia vida el hambre insaciable que tiene Carbonerillo, otro huérfano, de pertenecer a alguien y de ser amado. «Caballito loco» se publicó en 1962, un año antes de que Matute se separara de su esposo, y se me hace que podría añadirse a la lista de las obras de Matute que muchos críticos consideran autobiográficas (véanse Jones, pp. 55, 135; Díaz *passim*).

Otra grave privación de Paulina se evoca en la primera imagen que ella misma elige para presentarse: ésta de viaje. Convencionalmente, esto identificaría a la obra como novela de búsqueda, lo cual es cierto, pero también representa la carencia de hogar de la niña. Como el viaje de Jane Eyre a través del brezal, la trayectoria que lleva a Paulina de la jaula de una tutora en la ciudad a la jaula de otro guardián en el campo sugiere «la esencial falta de hogar —el estatus contingente, de anonimato, de no pertenencia a ningún lugar determinado— de las mujeres en la sociedad patriarcal» (Gilbert y Gubar, p. 364). Así que vislumbra la casa en las montañas, recuerda haber estado allí con anterioridad: «Si se me olvidó alguna vez, es porque me llevaron de allí tan pequeñita, que apenas me quedaba el recuerdo» (p. 395). Esta frase podría del mismo modo describir a su madre o al vientre de su madre; es una anfibología que nos revela hasta qué punto Paulina asocia a las dos (por cierto, toda la cultura occidental identifica a la madre con la casa, y a la matriz con el albergue). La descripción del río que rodea la casa subraya esta identificación, porque podría también ser la descripción del fluido amniótico: «Cerré los ojos para oír el ruido del río mejor. Me parecía que había soñado, o que había oído antes, hacía mucho tiempo, el ruido de la corriente de agua. El agua venía muy sucia, de un color rojo oscuro [...]» (p. 396). El deseo de Paulina de hacer suya la casa es también un deseo de hacer suya a su madre, o de hacerse a sí misma su propia madre. Del mismo modo que ha estado reproduciendo de manera inconsciente la casa «olvidada» en cada esbozo (p. 395), ahora empezará a reproducir la pauta del comportamiento femenino que su madre «olvidada» le ha legado.

Para llegar a ser su madre, o para «ganarse» la casa (del mismo modo que su madre habría «ganado» a su padre y a la casa de su padre), primero debe aprender las artes serviles/femeninas practicadas en su más baja esfera, la cocina. Allí, Marta y María (cuyos nombres nos recuerdan los modelos complementarios de la condición de mujer propuestos en el Nuevo Testamento) cocinan, cosen, cantan canciones tradicionales, explican cuentos, crían a los niños, se muestran compasivas con los desvalidos y atienden a los hombres. Paulina conoce a Nin en la cocina, y allí juegan a su juego preferido, a casa (p. 423). Pero, a pesar de su rápida progresión en esa esfera femenina, el acceso a la categoría de *haus-frau* o «mujer de su casa» depende únicamente del abuelo, el cual se muestra inexplicable e incluso antojadizamente reacio a concederle este deseo. No es hasta después de la huida de Nin cuando Paulina se entera de que, a su debido tiempo, heredará esta casa, y es aún mucho después cuando la lectora sabe que se ha convertido en su residencia (de verano) permanente.

Como Paulina, Nin hace su primera entrada en la novela estando en marcha: están trasladándole, como a un mueble, de un domicilio a otro. Marcado por la deficiencia a muchos niveles (carece de vista, de salud, de alfabetización, de poder), la función inicial del muchacho es idéntica a la de Paulina: en la economía sexual de la novela, ambos son «hembras». Pero, como sucede con muchos de los dobles de la novelística femenina, sus diferencias respecto a la heroína también están marcadas desde el principio. En particular, la actitud de Nin hacia el destino que comparte con Paulina, la casa de los abuelos, es opuesta a la de Paulina: mientras que la una desea con ansia ser invitada a permanecer en la jaula dorada, el otro no quiere entrar en ella; el chico no quiere ser objeto de la caridad de nadie. Sin embargo, aunque sus deseos iniciales sean contrarios, su impotencia para consumarlos es idéntica. Sólo después de que Nin adquiera el instrumento del poder falocéntrico, la palabra escrita, que ha pasado a través de Paulina para asentarse en él, empezarán sus suertes a divergir[7]. Investido de poder, Nin puede, si así lo desea, formar parte del grupo de los-que-pueden-realizar-sus-deseos, a saber, los hombres. Y el día que tiene que probar su virilidad simbólica con una lectura pública, se escapa, consumando así su deseo y demostrando su «verdadera» virilidad. El acceso de Nin a la

[7] Rubin señala que el falo (como signo del estatus masculino) pasa por las mujeres para acabar en los hombres: «Si el poder es una prerrogativa masculina que tiene que pasar de generación en generación, tiene que ser transmitida a través de la mujer-en-medio» (p. 192).

edad viril queda redundantemente representado, sobrecodificado, en esta novela. Su fuga, por ejemplo, invierte la imagen de los viajes femeninos con los que la historia se inicia: Nin ha dejado de ser un objeto-en-tránsito para convertirse en un sujeto que viaja. Se le compara dos veces con un pájaro que se ha escapado (pp. 507, 514), con lo cual la huida de Nin invierte también la imagen que Paulina tiene acerca de su madre/maternidad: un pájaro que fue estrangulado al intentar escapar.

La casa de los abuelos es uno de los símbolos primordiales de esta novela; su opuesto, el cuchitril de Nin, nunca aparece como escenario, pero está constantemente ante los ojos del lector, tanto en calidad de objeto de deseo de Nin como en calidad de índice de ceguera social del abuelo. Con un gran paternalismo, éste lleva a Nin a pasar invierno tras invierno en su casa, sin que jamás se le ocurra, hasta el final, la alternativa de reformar las casas de sus empleados. Matute utiliza con bastante frecuencia la vivienda para codificar la injusticia social (como en *Primera memoria*, *Fiesta al noroeste, Algunos muchachos,* etc.), y en *Paulina...,* la reconstrucción de la casa de Nin constituye la prueba definitiva de que se ha hecho justicia social. Una vez renovada, se convierte en una «segunda casa» para Paulina, la cual cuenta entonces con tres lugares de residencia (y ninguno que pueda considerar de su propiedad).

La falta de hogar, equiparada con la carencia de familia, es un rasgo común a todos los personajes del resto de las narraciones juveniles, pero recibe un tratamiento particularmente interesante en «El aprendiz», «Carnavalito» y *Sólo un pie...* El Aprendiz trabaja el día entero en la tienda de Ezequiel a cambio de la más mínima expresión de un cobijo: un lugar en el que poder reposar la cabeza. A medida que se desarrolla la historia, la mezquindad de Ezequiel lo encarcela en su casa, un castillo convertido en mazmorra. Cuando se da cuenta de que estaba equivocado al amar el dinero por sí mismo, en lugar de amarlo por lo que puede proporcionar, regala su casa y su tienda. En una paradoja cristiana típica, con este gesto se asegura una casa/familia para el resto de sus días: «Desde aquel momento, todos los vecinos del pueblo se disputaban para tenerlo en casa [...]; pasaba un día en casa de cada uno de sus vecinos, donde le servían y le daban toda clase de regalos» (p. 584).

«Carnavalito» empieza en una cálida herrería donde dos inadaptados han creado un hogar, «siempre juntos, como verdaderos padre e hijo» (p. 604). Poco después, tanto la fragua como la mayor parte de los alrededores, quedan destrozados por la guerra. El herrero ha desaparecido, pero su espíritu guía a Bongo a través de unos paisajes terroríficos hasta un nuevo hogar, completado con hermanos y hermanas y un padre y una madre que ha recogido por el camino.

La Gabriela de *Sólo un pie...* tiene una familia y una casa, pero está sistemáticamente excluida por la primera y relegada al más oscuro rincón de la segunda. Con el silencio y la ausencia que siente a su alrededor, se construye un mundo propio imaginario, poblado por todos los enseres domésticos desechados que va encontrando en todos los rincones olvidados de la casa, y por sus dibujos que han cobrado vida. Por fin, todas estas criaturas se reúnen una noche dentro de un viejo roble que está en medio de un bosque frondoso. En aquel lugar viven todas las criaturas imaginadas de todos los tiempos, y la niña reconoce inmediatamente que «aquel era su lugar, el que aguardaba hace mucho tiempo» (p. 102). Pero, como ella no es una criatura imaginaria, no puede quedarse allí: el lugar de reunión es destruido por un rayo y ella tiene que volver al mundo real. La secuencia optimista de las obras anteriores se repite: de pronto se hace un amigo (otro doble de su edad, un chico llamado Gabriel), que encuentra aquel zapato que ella siempre anda buscando y de alguna manera la ayuda a cruzar la barrera que la separa de la condición de persona. Incluso su madre parece aceptar a esta nueva Gabriela, ahora que ha crecido y está más bonita[8].

Comparadas con su carencia de padres y de hogar, las restantes privaciones de Paulina parecen menores, pero completan su caracterización de chica *sin*. Es más pequeña y bajita de lo que por su edad le corresponde, no viste como los demás niños, y no sabe expresarse bien. Le preocupa muchísimo saberse desprovista de atractivo físico, carencia coronada por una calvicie casi total (otro símbolo de falta de poder, como lo ilustra la historia de Sansón): «Siempre me habían dicho que era fea [...] era mejor que no me viera mucha gente» (p. 400). Por esta razón, la ceguera de Nin hace de él su compañero ideal, tal como ella en seguida advierte (p. 418). Dado que a ella le falta lo que considera los marcadores más elementales de la femini-

---

[8] Véase también Nichols «Times Past, Joys Present» sobre este libro. En una entrevista con Matute hablamos largamente de *Sólo un pie descalzo,* que ella describe como el libro más autobiográfico que haya escrito nunca. Sobre el final feliz de la novela, charlé también con su editora y amiga, Esther Tusquets. Nichols, *Escribir...,* pp. 44-47, 49-51, 54-55, 99-100.

dad, el cabello y la belleza, tampoco parece tener un sexo claramente definido: «Cuando me miraba al espejo me encontraba muy rara. Parecía un niño, aunque no del todo, porque no me habían quitado los pendientes». Este adorno femenino, «que me pusieron en cuanto nací», es todo cuanto la identifica como perteneciente a su casta: «A mí no me gustan los pendientes. Leí en un libro que los salvajes se agujerean las narices y las orejas para ponerse esas cosas. ¿Por qué nos harán lo mismo a las niñas?» (p. 392).

En cambio Nin posee toda la belleza estereotipadamente femenina que a ella le falta: «Tenía una cara muy bonita, que para mí hubiera querido yo» (p. 422). Cuando yace tendido después de su salvamento, podría ser La Bella Durmiente esperando el beso que romperá el maleficio: «Traían a Nin envuelto en una de las mantas, completamente inmóvil y blanco, con los ojos cerrados [...]. Sólo de verlo, cuando lo dejaron sobre la cama (lo habían subido a una de las habitaciones de arriba, una de las que estaban siempre cerradas) y ver su carita pálida, y el cabello, tan liso y tan suave, cayendo hacia atrás, blando y rubio, como oro fino, sobre la almohada: sólo de verlo, de ver su cabeza hermosa (y me acordaba [...] del romance [...] "más hermoso que el sol bello —déjale que entre— se calentará") [...]» (p. 517). Este villancico clarifica la identidad (sobrecodificada) de Nin: no es La Bella Durmiente, es El Príncipe de la Paz (en reposo). Cuando se despierta, instalado en la esfera superior de la casa, en la habitación del difunto padre de Paulina, habrá dejado para siempre su infantil androginia.

Una vez que Nin inicia el proceso de metamorfosis que le llevará a su condición de hombre, comienza también la transformación complementaria de Paulina (tal vez sea interesante observar que esta secuencia de maduración refleja unas verdades más ideológicas que biológicas, porque, en general, las niñas llegan a la pubertad antes que los niños). Primero se trata de una transformación psicológica: Paulina acepta las opiniones de Nin como superiores a las suyas, y le concede el papel de maestro en su relación. Considerando que pertenece a un orden inferior, resta valor a cuanto ella le había enseñado (del mismo modo que la sociedad otorga menos importancia a los maestros de escuela elemental, en su mayoría mujeres, que a los profesores, en su mayoría hombres. Véase Ortner, pp. 76-80), y se dispone a vivir de su palabra. «Bien cierto es que le había enseñado a leer. Pero bien poca cosa era, comparándolo con lo que Nin me había enseñado a mí: que ser fea y desmedradilla no era una gran desgracia [especialmente a los ojos —valga la paradoja— de un muchacho ciego], que había niños y niñas muy desgraciados en el mundo [...]. Que la vida era muchas veces injusta y cruel, y que muchos, siendo buenos, no se daban cuenta del bien que no hacían, y podían hacer» (p. 509).

Al proporcionar a la pobre niña una ideología mediante la cual racionalizar sus privaciones presentes y futuras, Nin demuestra de una vez por todas que es el complemento ideal de Paulina. Ya que el mundo es injusto, siempre habrá quienes están en desventaja, y deben aceptar su suerte como algo «natural»; según el mismo orden de cosas, la existencia de un grupo privilegiado es también natural, y no debe considerarse parte de un sistema mudable, ni en lo social, lo sexual, o lo económico. Una vez que la ideología del (con)texto ha quedado al desnudo, resulta evidente el porqué la «mentira bonita» de Matute no puede, a un mismo tiempo, apoyar el *statu quo* (el concepto cristiano de un mundo dividido, jerárquico, etc.) y fomentar el cambio. Si esta novela logra un final feliz es, exclusivamente, a expensas de la propia Paulina, la cual tendrá que aprender a ser abnegada y resignada, y a aceptar que las injusticias son de carácter estructural.

De todas las injusticias perpetuadas en *Paulina...*, la más evidente es la sexual. Dado que, como muy claramente expone el artículo de Gayle Rubin, la asimetría de sexo/género refleja y alimenta un sistema socioeconómico injusto, su persistencia en *Paulina...* pone en tela de juicio la revolución económica de la obra. En este respecto, es significativo que la redistribución de riqueza se haga a expensas del empobrecimiento de una romántica jovencita. Aunque el abuelo, por puro formulismo y sin profundizar, le pide permiso a Paulina antes de regalar su herencia, difícilmente se podría esperar que una huérfana de once años le negara su consentimiento a un hombre que es para ella una combinación de abuelo, padre y marido. (En un momento dado lo describe así: «Era la primera vez que alguien me decía hija mía. Le miré y vi entonces, claramente, que era bueno, y que podría encontrar en él todo aquello que tanto deseaba desde hacía tanto tiempo. Le cogí la mano entre las mías —aquella mano tan grande, con un anillo de bodas que me hubiera servido, casi, de pulsera [...]» (p. 511). En un mundo en el que la ceguera de Nin no constituye la norma, y en el que la belleza «es lo único que sirve a una mujer, si no tiene dinero» (como dice Práxedes en *Primera memoria*), la feúcha, chiquiteja y callada Paulina acaba de renunciar a su única baza. En cambio, el ideólogo Nin ha mejorado mucho su propia situación, lo cual se debe —en sentido casi literal— a Paulina. Ella le ha dado incluso su pony, demostrando hasta qué punto se ha aprendido la máxima que sustenta toda relación basada en la desigualdad: es mejor dar que recibir.

En la mayor parte de las obras juveniles restantes se perpetúan unas formas de injusticia parecidas, con parejas en las que uno de los miembros vive literalmente a costa del otro: cuando Yongo descubre que el saltamontes se ha llevado su voz, prefiere morir antes que pedirle que se la devuelva; el herrero escoge morir sin confesarse antes que privar a Bongo de las historias que le dan esperanza; el Aprendiz debe morir para iluminar a Ezequiel; para salvarle la vida a Jujú, el Polizón se ve obligado a regresar a la cárcel; Caballito loco lo sacrifica todo por Carbonerillo, sin jamás recibir ni una muestra de agradecimiento a cambio. Dentro de este mundo ficticio no tiene nada de extraordinario que el que se sacrifica acepte un lote desigual; hasta es plausible psicológicamente. Pero lo que sí es extraordinario, en una novelística que aspira, como la de Matute, a ser una fuerza aunque sea moral a favor de la reforma social, es que se mistifique este tipo de engaño, lo cual no es más que otra forma de perpetuarlo. En sus obras para adultos, Matute critica las injusticias de su sociedad. ¿Por qué en sus «bellas mentiras» para niños abandona esta crítica, convirtiéndolas en una verdadera apología del orden establecido? Intentar dar una respuesta a esta pregunta me llevaría más allá del ámbito de este estudio, pero es algo que debería sacarse a colación en un futuro análisis global de la obra de Matute[9].

Así pues, el peligro que arrostra Paulina no es esta serie de privaciones que hacen de ella una niña *sin,* sino más bien esa carencia fundamental que aquéllas simbolizan o hacia la cual apuntan: su condición femenina en un mundo falocrático. Si para escribir sus memorias ha resistido la llamada de un día espléndido —a caballo entre la primavera y el verano (p. 530)— ha sido porque tenía la sensación de que era urgente tomar nota de su propia gloriosa primavera antes de que fuera vencida por la madurez del verano: «Y por eso estoy escribiendo todo esto, porque dentro de muy poco tiempo, o quizá ya, no seré nunca más una niña» (p. 395).

[9] Matute me comentó de esta novela en la misma entrevista: «Esa no me gusta. No la soporto, no la soporto [...]. La escribí con todo el alma, pero yo ya no pienso como entonces.» Nichols, *Escribir...,* p. 47.

El día en que Nin y ella se conviertan en «un hombre y una mujer», su complementaridad dejará de ser ideal para pasar a ser perniciosa. Su deferencia automática hacia Nin (para no mencionar la adoración que le profesa al abuelo) sugiere que cuando se lo pidan, Paulina se meterá volando en su jaula dorada sin decir ni pío [10]. Y así el mundo seguirá como Dios manda, en el cielo y en la tierra. El título del último capítulo de la novela, «Cara al futuro», un eco evidente del himno nacional fascista, «Cara al sol», cierra esta visión de un universo irremediablemente jerárquico, y la frase final de la novela resume cuanto le ha precedido: los campesinos «están siempre muy preocupados con el cielo, porque todo lo de la tierra depende de él».

---

[10] En su estudio de la literatura infantil, Bob Dixon dedica un capítulo al sexismo, titulado apropiadamente «Pájaros en jaulas doradas». Sus conclusiones sobre la literatura infantil en lengua inglesa invariablemente reflejan las mías en cuanto a la obra matutiana. Resume: «El sexo, la clase social y la raza son todos aspectos de la idea de la jerarquía —esa idea que parece sugerir que todo lo que existe, incluidos los seres humanos, puede ser ordenado según un esquema que va de lo más alto a lo más bajo. A lo largo del tiempo que he dedicado a este libro, muchas veces me ha parecido que casi la totalidad de la literatura que he leído ha tenido que ver con la jerarquía en una forma o en otra» (p. xiv).

6. EL EXILIO Y EL GÉNERO EN MERCÈ RODOREDA

Con el entierro de Francisco Franco, se puede decir que también se enterró el exilio que había resultado de la guerra civil española. Ahora que han salido de su escondite los últimos autosepultados del exilio interno, los «topos», y ahora que todos los emigrados que no han muerto lejos han podido volver, se ha logrado la perspectiva necesaria para valorar la experiencia del exilio como un fenómeno discreto, completo ya. Éste es también el caso de la literatura del exilio, que se ha convertido en una «obra completa» que se puede someter al tipo de análisis llevado a cabo en *Literature and Inner Exile,* de Paul Ilie, o en algunos de los ensayos de la antología de Hans-Bernhard Moeller (véanse, en particular, Moeller, Spalek, Díaz). Durante la década transcurrida desde que José Luis Abellán publicó *El exilio español de 1939,* un monumental estudio, se ha producido una lenta revaloración de las reputaciones literarias labradas en el exilio: muchos autores se sumieron en el silencio al volver a España, o murieron; otros han salido de un olvido casi total para ser agasajados por el público y por los medios de comunicación.

Entre los autores más interesantes de este último grupo se cuentan Mercè Rodoreda y la escritora castellana a quien ésta admiraba, Rosa Chacel. En comparación con Chacel, Rodoreda sigue siendo relativamente poco conocida fuera de su país natal; cotejar sus respectivas trayectorias puede servir como presentación, entonces, de la catalana. Tal comparación servirá también para plantear algunas preguntas que hasta ahora han quedado en el tintero acerca de la influencia del género y de la nacionalidad en la experiencia del exilio.

Una versión abreviada de este capítulo fue leída en el Congreso de la Modern Language Association en 1985, y luego publicada en *Monographic Review/Revista monográfica* 2 (1986), pp. 189-97. Otra versión ampliada forma la base de este capítulo; fue publicada en *Modern Language Notes,* 101 (1986), pp. 405-17, con el título «Exile, Gender, and Mercè Rodoreda». Copyright © 1986 The Johns Hopkins UP. Reimpreso con su permiso. Traducción al castellano de Maite Cirugeda con la ayuda de la autora.

exilio: la de la *expatriación* de los catalanes después de la caída de la República[2]. Ambas formulaciones de la experiencia del exilio son complementarias —efectivamente, intercalaba la composición de muchos cuentos en los períodos de gestación de las novelas— y ambas reflejan la visión de una intrusa por partida doble: en tanto que mujer y en tanto que catalana.

El Génesis le proporciona el paradigma explícito para sus novelas de expulsión y para sus cuentos de expatriación, pero ambos difieren del modelo bíblico en dos aspectos. Primero, se centran casi exclusivamente en Eva; segundo, invirtiendo el esquema bíblico, privilegian o se concentran en los sufrimientos de Eva posteriores a la caída, en vez de insistir en su pecado edénico. Esta pauta es evidente en todas las principales novelas de Rodoreda, en las que se encuentra casi siempre a una adolescente que por seducción o engaño abandona su amada infancia —o su correlato objetivo, el jardín— para pasar el resto de sus días ficticios intentando reconstruir aquel mágico espacio verde. Así Natàlia, Cecília Ce o Teresa Godoy de Valldaura[3].

La expatriación tal como se la pinta en los cuentos es también una experiencia femenina —o femenizadora, como veremos— de pérdida. Los expatriados, hombres y mujeres, cumplen el anatema de Eva, a saber, caen en el género y la generación, con todos los corolarios que ello comporta: dependencia, sumisión y susceptibilidad a lo que se pudiera llamar transformaciones no deseadas. Tal

2 Dos de sus cuentos sobre exiliados ostentan diferencias tan importantes respecto de este modelo que merecerían consideración aparte. «La mort de Lisa Sperling» trata de una judía rusa emigrada a Francia, y «Rom Negrita» versa sobre exiliados interiores, catalanes que no abandonaron su país al triunfar los Nacionales. Se puede asimismo objetar que en ningún momento se le identifica como catalán al protagonista de «Nit i boira», pero creo que su nacionalidad puede ser inferida por los detalles de su aprisionamiento en Burdeos en 1943 y su posterior traslado a un campo de concentración nazi. Fue éste el malhadado itinerario de muchos refugiados catalanes bajo el gobierno Vichy. Véase el testimonio de los catalanes sobrevivientes de los campos de concentración en el libro de Montserrat Roig, *Els catalans als camps nazis* (1977), cuyas historias reflejan con detalle estremecedor la ficción de Rodoreda. La versión castellana del libro de Roig se titula *Noche y niebla,* una traducción como «Nit i boira» de *Nacht und Nebel,* el término empleado por los nazis para denominar a los prisioneros, incluidos los catalanes, que habían de morir sin dejar rastro.

3 No es una niña sola sino una pareja mixta de adolescentes que son apartados de su jardín en *Jardí vora el mar* y *Quanta, quanta guerra...*: l'Eugeni y la Rosamaria; l'Adrià y l'Eva. Los nombres de las niñas subrayan sus respectivas asociaciones con un jardín y con el Jardín.

Las suertes de Rodoreda y de Chacel han sido sorprendentemente parecidas y paradigmáticamente distintas. Ambas eran autoras de cierto éxito durante la década de los treinta, asociadas a brillantes grupos vanguardistas que —a juzgar por las historias de la literatura— no tenían más que componentes masculinos: la Colla [Grupo] de Sabadell, en el caso de Rodoreda, y la Generación del 27 en el de Chacel. Ambas permanecieron fuera de España —Chacel en Brasil y Argentina, Rodoreda en Francia y Suiza— más de treinta años. Sus contemporáneos masculinos habían monopolizado la primera plana en España, y en el exilio —donde la primera plana era exigua— la situación fue todavía peor. Chacel pudo seguir escribiendo y publicando en Argentina, pero a diferencia de la mayoría de sus compañeros de la Generación del 27, fue prácticamente olvidada en España; Rodoreda pasó veinte años en un olvido y silencio casi absolutos.

Hay una nota de justicia poética en sus reapariciones literarias, que han sido igualmente lentas, seguras y triunfantes; en el caso de Rodoreda, casi apoteósica. Reapareció en la escena literaria en 1958, con la publicación de *Vint-i-dos contes,* y poco después publicó la novela que justifica su creciente fama internacional, la *Plaça del Diamant.* Descrita repetidamente como la mejor novela en lengua catalana de todos los tiempos, y elogiada por García Márquez —que se esforzó por leerla en catalán después de enamorarse de ella en su versión castellana— como «la más bella novela que se ha publicado en España después de la guerra civil» (p. 6), la *Plaça del Diamant* ha sido traducida a 20 lenguas.

A pesar de estas semejanzas, sin embargo, las dos autoras tienen opiniones opuestas de su experiencia en el exilio. Chacel dijo en una entrevista en 1983: «Lo que no existe en mi vida es el exilio. Yo seguí viviendo como cuando salí de España. Por eso esta situación no me dejó huella» (Chacel, 1983, p. 6). La opinión de Rodoreda es igualmente conclusiva, pero de signo opuesto. Declaró a Baltasar Porcel: «Com el de tots, el meu exili ha estat dur: una mica massa per a tenir moltes ganes de recordar-me'n» (p. 232). [Como el de todos, mi exilio ha sido duro; tanto es así que no tengo muchas ganas de recordarlo.] La diferencia entre estos dos puntos de vista puede ser atribuida, al menos en parte, a las distintas situaciones que estas dos artífices de la palabra encontraron en el extranjero. En tanto que catalana fuera de España, Rodoreda quedó aislada de su lengua y de su público de un modo que Chacel no experimentó. En su libro, *Els escenaris de la memòria,* Josep Maria Castellet recuerda una visita que le hizo a Rodoreda en su piso de Ginebra en 1973, cuando ella le explicó: «Tothom sap que jo he viscut molts anys sense públic. Mai no he escrit per al públic [...]. Veus aquestes quatre parets? Això ha estat Catalunya per a mi durant molts anys: Catalunya, una abstracció i una nostàlgia, és a dir, tot el que s'ha viscut intensament i s'acaba» (pp. 40-41). [Todo el mundo sabe que yo he vivido muchos años sin público. Nunca he escrito para el público. [...] ¿Ves estas cuatro paredes? Esto ha sido Cataluña para mí durante muchos años: Cataluña, una abstracción y una nostalgia, o sea, todo lo que se ha vivido intensamente y que se acaba.]

La crítica literaria general sobre el exilio español tiende a hacer caso omiso de la estratificación del sufrimiento resultante del éxodo de 1939: fuera cual fuera su clase social, los emigrados de las regiones autónomas perdieron más que sus camaradas castellanoparlantes. Hablando de los catalanes, Rafael Tasis lo explicó así en 1939: «Per als espanyols l'enfonsament de la República i àdhuc la submissió a una política estrangera autoritària, no representa la mort de llur esperit ni de llur idioma. Han perdut la llibertat, però no han perdut res més. Mentre que nosaltres, els catalans, ho hem perdut tot» (cit. en Manent, p. 15). [Para los españoles el hundimiento de la República y aun la sumisión a una política extranjera autoritaria, no representa la muerte de su espíritu ni de su idioma. Han perdido la libertad, pero no han perdido otra cosa. Mientras que nosotros, los catalanes, lo hemos perdido todo.] Albert Manent señala que los intelectuales se vieron particularmente afectados: «Convé subratllar que per a un intel·lectual català el desastre del 1939 seria molt superior que el de qualsevol altre expatriat: sense biblioteca, sense tribunes normals d'expressió, amb un públic hipotètic, exclusivament de refugiats [...]» (p. 23). [Hay que subrayar que para un intelectual catalán el desastre de 1939 sería muy superior que para cualquier otro expatriado: sin biblioteca, sin una tribuna normal de expresión, con un público hipotético, exclusivamente de refugiados [...].]

Rodoreda, cuya simpatía hacia la República, según dijo, «provenia d'allò que és més inherent als catalans: el nacionalisme» [proviene de lo más inherente a los catalanes: el nacionalismo], y que afirmó que «potser el més primordial» [quizá el más primordial] de sus objetivos al escribir novelas fuera rendir homenaje a la lengua catalana (Busquets, pp. 58, 63), no pudo menos que sufrir insatisfacción en el extranjero[1]. Sus cuentos relacionados con el exilio suelen hacer hincapié en la sensación de enajenación sufrida por el protagonista y su malestar frente a la necesidad de hablar una lengua extranjera. Describen los países anfitriones, generalmente Francia y Suiza, como inasibles y extraños, no sólo en cuanto a la lengua, sino también en lo cultural, lo geográfico y hasta en lo referente a la horticultura. Como tantos de sus protagonistas/narradores, Rodoreda fue una ferviente amante de las flores y la jardinería, que a su vez se convirtió en metáfora de su otra gran pasión: escribir. Ambas actividades le resultaron más problemáticas fuera de España, porque el jardín ideal había quedado atrás, en Cataluña. No es mera coincidencia que eligiera un símil botánico para responder a una pregunta acerca de la novelística en el exilio: «Escriure català a l'estranger és el mateix que voler que floreixin flors al Pol Nord» [Escribir en catalán en un país extranjero es como esperar que nazcan flores en el Polo Norte], le dijo a Montserrat Roig (p. 168). Pero las escrituras así florecieron, y muchas de ellas —las que analizaremos aquí— versan sobre ese estado —a la vez estructura y proceso, espacio y tiempo— que llamamos «el exilio».

Desde el comienzo conviene hacer una distinción entre las novelas y los cuentos de Rodoreda, y entre los sendos sintagmas del exilio —expulsión y expatriación— que los vertebran. Porque Rodoreda concebía la vida adulta como una forma de exilio, sea ella vivida dentro o fuera de las fronteras del país natal. La condición de adulto y en particular la condición de mujer adulta, es el estado que se deriva de la *expulsión* del jardín de la infancia: el/la adolescente es desterrado/a y no podrá regresar. Todas las novelas de Rodoreda se estructuran alrededor de esta experiencia universal del «exilio». Por otra parte, en sus cuentos trata una forma particular o histórica de

[1] Pasó seis duros años en el sur de Francia (ubicación de los cuentos «Fil a l'agulla», «El mirall», «Nocturn» y «Nit i boira»), y ocho años más en París. Por fin en 1954, se mudó con su compañero Armand Obiols a Ginebra. Le escribe a Anna Murià desde la capital suiza: «Després de dos anys i mig d'esser en aquesta terra encara m'enyoro de París. A París, malgrat la misèria i les penes, em sentia a casa. Aquí sempre m'he sentit exiliada. A mida que em vaig fent vella, el més lleuger canvi de decorat em fa mal» (*Cartes...*, p. 100). [Después de dos años y medio en esta tierra todavía echo de menos París. En París, a pesar de la miseria y de los problemas, me sentía como en casa. Aquí, siempre me he sentido exiliada. A medida que me hago vieja, el más mínimo cambio de decorado me pone mal.]

escenaris de la memòria, Josep Maria Castellet recuerda una visita que le hizo a Rodoreda en su piso de Ginebra en 1973, cuando ella le explicó: «Tothom sap que jo he viscut molts anys sense públic. Mai no he escrit per al públic [...]. Veus aquestes quatre parets? Això ha estat Catalunya per a mi durant molts anys: Catalunya, una abstracció i una nostàlgia, és a dir, tot el que s'ha viscut intensament i s'acaba» (pp. 40-41). [Todo el mundo sabe que yo he vivido muchos años sin público. Nunca he escrito para el público. [...] ¿Ves estas cuatro paredes? Esto ha sido Cataluña para mí durante muchos años: Cataluña, una abstracción y una nostalgia, o sea, todo lo que se ha vivido intensamente y que se acaba.]

La crítica literaria general sobre el exilio español tiende a hacer caso omiso de la estratificación del sufrimiento resultante del éxodo de 1939: fuera cual fuera su clase social, los emigrados de las regiones autónomas perdieron más que sus camaradas castellanoparlantes. Hablando de los catalanes, Rafael Tasis lo explicó así en 1939: «Per als espanyols l'enfonsament de la República i àdhuc la submissió a una política estrangera autoritària, no representa la mort de llur esperit ni de llur idioma. Han perdut la llibertat, però no han perdut res més. Mentre que nosaltres, els catalans, ho hem perdut tot» (cit. en Manent, p. 15). [Para los españoles el hundimiento de la República y aun la sumisión a una política extranjera autoritaria, no representa la muerte de su espíritu ni de su idioma. Han perdido la libertad, pero no han perdido otra cosa. Mientras que nosotros, los catalanes, lo hemos perdido todo.] Albert Manent señala que los intelectuales se vieron particularmente afectados: «Convé subratllar que per a un intel·lectual català el desastre del 1939 seria molt superior que el de qualsevol altre expatriat: sense biblioteca, sense tribunes normals d'expressió, amb un públic hipotètic, exclusivament de refugiats [...]» (p. 23). [Hay que subrayar que para un intelectual catalán el desastre de 1939 sería muy superior que para cualquier otro expatriado: sin biblioteca, sin una tribuna normal de expresión, con un público hipotético, exclusivamente de refugiados [...].]

Rodoreda, cuya simpatía hacia la República, según dijo, «provenia d'allò que és més inherent als catalans: el nacionalisme» [proviene de lo más inherente a los catalanes: el nacionalismo], y que afirmó que «potser el més primordial» [quizá el más primordial] de sus objetivos al escribir novelas fuera rendir homenaje a la lengua catalana (Busquets, pp. 58, 63), no pudo menos que sufrir insatisfac-

Las suertes de Rodoreda y de Chacel han sido sorprendentemente parecidas y paradigmáticamente distintas. Ambas eran autoras de cierto éxito durante la década de los treinta, asociadas a brillantes grupos vanguardistas que —a juzgar por las historias de la literatura— no tenían más que componentes masculinos: la Colla [Grupo] de Sabadell, en el caso de Rodoreda, y la Generación del 27 en el de Chacel. Ambas permanecieron fuera de España —Chacel en Brasil y Argentina, Rodoreda en Francia y Suiza— más de treinta años. Sus contemporáneos masculinos habían monopolizado la primera plana en España, y en el exilio —donde la primera plana era exigua— la situación fue todavía peor. Chacel pudo seguir escribiendo y publicando en Argentina, pero a diferencia de la mayoría de sus compañeros de la Generación del 27, fue prácticamente olvidada en España; Rodoreda pasó veinte años en un olvido y silencio casi absolutos.

Hay una nota de justicia poética en sus reapariciones literarias, que han sido igualmente lentas, seguras y triunfantes; en el caso de Rodoreda, casi apoteósica. Reapareció en la escena literaria en 1958, con la publicación de *Vint-i-dos contes,* y poco después publicó la novela que justifica su creciente fama internacional, la *Plaça del Diamant.* Descrita repetidamente como la mejor novela en lengua catalana de todos los tiempos, y elogiada por García Márquez —que se esforzó por leerla en catalán después de enamorarse de ella en su versión castellana— como «la más bella novela que se ha publicado en España después de la guerra civil» (p. 6), la *Plaça del Diamant* ha sido traducida a 20 lenguas.

A pesar de estas semejanzas, sin embargo, las dos autoras tienen opiniones opuestas de su experiencia en el exilio. Chacel dijo en una entrevista en 1983: «Lo que no existe en mi vida es el exilio. Yo seguí viviendo como cuando salí de España. Por eso esta situación no me dejó huella» (Chacel, 1983, p. 6). La opinión de Rodoreda es igualmente conclusiva, pero de signo opuesto. Declaró a Baltasar Porcel: «Com el de tots, el meu exili ha estat dur: una mica massa per a tenir moltes ganes de recordar-me'n» (p. 232). [Como el de todos, mi exilio ha sido duro; tanto es así que no tengo muchas ganas de recordarlo.] La diferencia entre estos dos puntos de vista puede ser atribuida, al menos en parte, a las distintas situaciones que estas dos artífices de la palabra encontraron en el extranjero. En tanto que catalana fuera de España, Rodoreda quedó aislada de su lengua y de su público de un modo que Chacel no experimentó. En su libro, *Els*

ción en el extranjero [1]. Sus cuentos relacionados con el exilio suelen hacer hincapié en la sensación de enajenación sufrida por el protagonista y su malestar frente a la necesidad de hablar una lengua extranjera. Describen los países anfitriones, generalmente Francia y Suiza, como inasibles y extraños, no sólo en cuanto a la lengua, sino también en lo cultural, lo geográfico y hasta en lo referente a la horticultura. Como tantos de sus protagonistas/narradores, Rodoreda fue una ferviente amante de las flores y la jardinería, que a su vez se convirtió en metáfora de su otra gran pasión: escribir. Ambas actividades le resultaron más problemáticas fuera de España, porque el jardín ideal había quedado atrás, en Cataluña. No es mera coincidencia que eligiera un símil botánico para responder a una pregunta acerca de la novelística en el exilio: «Escriure català a l'estranger és el mateix que voler que floreixin flors al Pol Nord» [Escribir en catalán en un país extranjero es como esperar que nazcan flores en el Polo Norte], le dijo a Montserrat Roig (p. 168). Pero las escrituras así florecieron, y muchas de ellas —las que analizaremos aquí— versan sobre ese estado —a la vez estructura y proceso, espacio y tiempo— que llamamos «el exilio».

Desde el comienzo conviene hacer una distinción entre las novelas y los cuentos de Rodoreda, y entre los sendos sintagmas del exilio —expulsión y expatriación— que los vertebran. Porque Rodoreda concebía la vida adulta como una forma de exilio, sea ella vivida dentro o fuera de las fronteras del país natal. La condición de adulto, y en particular la condición de mujer adulta, es el estado que se deriva de la *expulsión* del jardín de la infancia: el/la adolescente es desterrado/a y no podrá regresar. Todas las novelas de Rodoreda se estructuran alrededor de esta experiencia universal del «exilio». Por otra parte, en sus cuentos trata una forma particular o histórica del

---

[1] Pasó seis duros años en el sur de Francia (ubicación de los cuentos «Fil a l'agulla», «El mirall», «Nocturn» y «Nit i boira»), y ocho años más en París. Por fin, en 1954, se mudó con su compañero Armand Obiols a Ginebra. Le escribe a Anna Murià desde la capital suiza: «Després de dos anys i mig d'esser en aquesta terra encar m'enyoro de París. A París, malgrat la misèria i les penes, em sentia a casa. Aquí, sempre m'he sentit exiliada. A mida que em vaig fent vella, el més lleuger canvi de decorat em fa mal» (*Cartes...*, p. 100). [Después de dos años y medio en esta tierra todavía echo de menos París. En París, a pesar de la miseria y de los problemas, me sentía como en casa. Aquí, siempre me he sentido exiliada. A medida que me hago vieja, el más mínimo cambio de decorado me pone mal.]

exilio: la de la *expatriación* de los catalanes después de la caída de la República[2]. Ambas formulaciones de la experiencia del exilio son complementarias —efectivamente, intercalaba la composición de muchos cuentos en los períodos de gestación de las novelas— y ambas reflejan la visión de una intrusa por partida doble: en tanto que mujer y en tanto que catalana.

El Génesis le proporciona el paradigma explícito para sus novelas de expulsión y para sus cuentos de expatriación, pero ambos difieren del modelo bíblico en dos aspectos. Primero, se centran casi exclusivamente en Eva; segundo, invirtiendo el esquema bíblico, privilegian o se concentran en los sufrimientos de Eva posteriores a la caída, en vez de insistir en su pecado edénico. Esta pauta es evidente en todas las principales novelas de Rodoreda, en las que se encuentra casi siempre a una adolescente que por seducción o engaño abandona su amada infancia —o su correlato objetivo, el jardín— para pasar el resto de sus días ficticios intentando reconstruir aquel mágico espacio verde. Así Natàlia, Cecília Ce o Teresa Godoy de Valldaura[3].

La expatriación tal como se la pinta en los cuentos es también una experiencia femenina —o femenizadora, como veremos— de pérdida. Los expatriados, hombres y mujeres, cumplen el anatema de Eva, a saber, caen en el género y la generación, con todos los corolarios que ello comporta: dependencia, sumisión y susceptibilidad a lo que se pudiera llamar transformaciones no deseadas. Tal

[2] Dos de sus cuentos sobre exiliados ostentan diferencias tan importantes respecto de este modelo que merecerían consideración aparte. «La mort de Lisa Sperling» trata de una judía rusa emigrada a Francia, y «Rom Negrita» versa sobre exiliados interiores, catalanes que no abandonaron su país al triunfar los Nacionales. Se puede asimismo objetar que en ningún momento se le identifica como catalán al protagonista de «Nit i boira», pero creo que su nacionalidad puede ser inferida por los detalles de su aprisionamiento en Burdeos en 1943 y su posterior traslado a un campo de concentración nazi. Fue éste el malhadado itinerario de muchos refugiados catalanes bajo el gobierno Vichy. Véase el testimonio de los catalanes sobrevivientes de los campos de concentración en el libro de Montserrat Roig, *Els catalans als camps nazis* (1977), cuyas historias reflejan con detalle estremecedor la ficción de Rodoreda. La versión castellana del libro de Roig se titula *Noche y niebla,* una traducción como «Nit i boira» de *Nacht und Nebel,* el término empleado por los nazis para denominar a los prisioneros, incluidos los catalanes, que habían de morir sin dejar rastro.

[3] No es una niña sola sino una pareja mixta de adolescentes que son apartados de su jardín en *Jardí vora el mar* y *Quanta, quanta guerra...:* l'Eugeni y la Rosamaria; l'Adrià y l'Eva. Los nombres de las niñas subrayan sus respectivas asociaciones con un jardín y con el Jardín.

conceptualización del exilio como una experiencia sexuada, o como un experimentar el género (femenino), parecería ser inédita en la narrativa del exilio. Cuanto menos, ésta es la conclusión a la que hay que llegar si nos basamos en los últimos estudios sobre esta literatura (Manent, Ilie, los ensayos de Moeller y *Mosaic*), donde el género no figura como una de las categorías que puede condicionar la experiencia del transterrado [4]. Al contrario, todos los estudios anteriormente citados utilizan exclusivamente el pronombre masculino al referirse a los exiliados; uno de los ensayos de *Mosaic* se titula «Onlyman» (traducción literal, «único hombre»), como sinónimo de emigrado. Y otro, que versa sobre las autoras mujeres del exilio, postula la experiencia masculina del exilio como normativa (Galerstein, pp. 142-45). Solamente he encontrado un par de ecos de la percepción de Rodoreda del exilio como experiencia sexuada en los relatos autobiográficos: tanto Frederica Montseny en *Cent dies de la vida d'una dona,* como Teresa Pàmies en *Quan érem Capitans,* hablan de la carga desproporcionalmente pesada de la mujer refugiada [5].

[4] No son sólo las mujeres las que se excluyen «por definición» de los artículos del libro compilado por Moeller. También los vascos y los catalanes —para nombrar sólo dos grupos minoritarios españoles que emigraron masivamente, aunque hay muchísimos otros grupos minoritarios de otros países que se podrían nombrar— quedan fuera de todas las categorías establecidas en el libro (véanse Moeller, Durán, Caeiro, Saciuk, Spalek, etc.). Extraña aún más este silencio en vista de la publicación, cinco años antes, del comprensivo estudio de Abellán, uno de cuyos seis tomos sobre la literatura del exilio se dedica por completo a las culturas minoritarias. También incluido en el estudio de Abellán está el artículo de Sanz Villanueva «La narrativa del exilio», en el cual hay una breve sección dedicada a las novelistas.

[5] Escribe Pàmies: «Les mares amb infants petits eren les més exposades, les que carregaven tot el pes de l'èxode. Jo encara no era mare i no podia entendre-ho, però anys després, amb fills nascuts per aquests móns de Déu, he pensat moltes vegades en les mares de l'èxode, i encara les admirava més. Admirar no és el verb més adient. Caldria dir que hi he pensat amb un sentiment de pietat i de respecte infinits; m'he fet plenament càrrec del drama que elles visqueren i m'ha semblat que d'aquella guerra entre espanyols foren elles, les mares de criatures petites, les que podrien dir que conegueren l'odissea» (p. 163). [Las madres con niños pequeños eran las más expuestas, las que cargaban con todo el peso del éxodo. Yo todavía no era madre y no podía entenderlo, pero años después, con hijos nacidos por estos mundos de Dios, he vuelto a pensar muchas veces en las madres del éxodo, y las admiraba todavía más. Admirar no es la palabra más adecuada. Habría que decir que he pensado en ellas con un sentimiento de piedad y respeto infinitos; me he dado plena cuenta del drama que ellas vivieron y me ha parecido que de aquella guerra entre españoles eran ellas, las madres de criaturas pequeñas, las que podrían decir que conocieron la odisea.]

Durante los primeros años de su exilio, la conocidísima líder anarquista y Ministra de Salud bajo el gobierno de la II República, Frederica Montseny, se vio repetidas

Los cuentos sobre la expatriación que se analizan aquí pueden, a fines prácticos, dividirse en tres grupos. 1) Los que retratan al hombre feminizado por la experiencia: «Nit i boira» [Noche y niebla], «Cop de lluna» [Golpe de luna]. 2) Los que retratan a la mujer infrafeminizada, es decir, más disminuida en el exilio: «Fil a l'agulla» [literalmente, Con la aguja enhebrada, aunque el sentido figurado en catalán es «iniciar un proyecto»], «Orleans, 3 quilòmetres» [Orleans, 3 kilómetros], «Nocturn» [Nocturno], «El mirall» [El espejo], «Paràlisi» [Parálisis]. 3. El que retrata el exilio en sí mismo como el cumplimiento monstruosamente prolongado de la maldición primordial de Eva: la gestación y el parto: «La meva Cristina» [Mi Cristina]. Es difícil fechar con precisión la redacción de los cuentos de Rodoreda, pero a juzgar por los indicios internos, parece como si los grupos de nuestra clasificación fueran aproximadamente cronológicos[6]. Su evolución temática debe reflejar hasta cierto punto una parecida evolución en los sentimientos de la autora respecto de su exilio. El grupo 2 es, con mucho, el más amplio, e incluye unos relatos que deben ser contemporáneos o algo posteriores a los del grupo 1 («Fil a l'agulla», «Orleans...», «Nocturn»), así como otras obras probablemente redactadas hacia finales de los años

---

veces en situaciones de gran peligro personal. Escribe, sin embargo, que era como madre de dos niños pequeños por lo que más sufrió en este período: «Però la sang se'm glaçava a les meves venes quan pensava en els meus fills, quan em venia al pensament el fet que poguessin ésser arrabassats dels meus, conduïts a Espanya, lliurats als nostres enemics seculars [...]. Només les mares es faran càrrec del meu espantós estat d'ànim, la sobrehumana desesperació de la meva ànima, quan pensava en això. [...] I fou aquesta por constant, l'angoixa de totes les meves hores, l'actiu i llarg martiri que vaig viure durant aquells cinc anys maleïts» (pp. 183-84) [Pero la sangre se me helaba en las venas cuando pensaba en mis hijos, cuando se me ocurría el hecho de que pudieran ser arrebatados de los míos, llevados a España, y entregados a nuestros seculares enemigos [...]. Sólo las madres pueden entender mi espantoso estado de ánimo, la sobrehumana desesperación de mi espíritu, cuando pensaba en eso [...]. Y fue este miedo constante, la angustia de todas mis horas, el activo y largo martirio que viví durante aquellos malditos cinco años.]

[6] Pasando apuros económicos, Rodoreda enviaba los originales de sus cuentos al editor a medida que los iba acabando, según da a entender en las cartas a Murià. Así que las fechas de publicación deben seguir bastante fielmente las fechas de composición. En una carta fechada el 5 de junio de 1946, dice que manda para la publicación «Nocturn», «Mort de Lisa Sperling», «Orleans 2k» [*sic*] y «Nit i boira». En otra (3 de septiembre de 1948) dice que está a punto de comenzar un cuento sobre un negro atrapado por la evacuación francesa. Este negro debe ser el personaje Wilson del cuento incluido en *Tots els contes* con el título «Orleans 3 quilòmetres». Véase la nota 8.

cincuenta (período en el que yo sitúo la redacción de «Paràlisi»). Parece probable que «La meva Cristina», único componente del grupo 3, fuera escrito a mediados de los años sesenta, poco antes de su publicación.

«Nit i boira» y «Cop de lluna», en los cuales se describen unos hombres feminizados por la experiencia del exilio, se cuentan entre los primeros relatos de Rodoreda. Ambos tienen protagonistas masculinos que son prisioneros; uno se halla en un campo de concentración nazi, y el otro en una de las infames Compañías de Trabajadores Extranjeros (Compagnies de Travailleurs Étrangers) que el gobierno francés creó para «resolver» el problema de los refugiados republicanos (proveyéndose al mismo tiempo de mano de obra barata). Tanto el uno como el otro se ven inmersos en un sistema que los define como inferiores, negándoles movilidad, autonomía o el más mínimo control sobre su vida; la narración detalla los cambios que experimentan para poder sobrevivir. En primer lugar, suprimen los recuerdos del pasado, cuando eran libres, autónomos, mimados y masculinos (por tanto, seres superiores). Tales recuerdos hacen que su presente estado les resulte intolerable y podrían incitarlos a cometer peligrosos actos de rebeldía. Al mismo tiempo, empiezan a adoptar el comportamiento de autoprotección de los seres estructuralmente inferiores, utilizando el modelo de subordinación con el que están más familiarizados: se convierten en «hembras».

El prisionero del campo de concentración de «Nit i boira» renuncia gradualmente a su primera línea de resistencia al encarcelamiento, que consistía en negar su culpabilidad. Puesto que no era ni judío ni maqui, consideraba que su condena debía ser un error: «Més que no pas els cops em dolia la sensació de l'enorme malentès. Era un neguit que em semblava que em vingués del ventre. Com si fos l'unic d'adonar-me d'un error evident, patent, en un problema i no pogués fer-lo veure als altres» (p. 280). [Más que los golpes me dolía la sensación del enorme malentendido. Era un malestar que me parecía venir del vientre. Como si fuera el único en darme cuenta de un error evidente, patente, en un problema y no pudiera hacer que los otros lo vieran.] Al admitir que nadie reconoce su superioridad (o inocencia), ha dado el primer paso en el proceso de transformación que le llevará a ser el Otro. Privado de apoyo, al cabo de poco tiempo perderá sus convicciones acerca de su inocencia —y de su identidad. De hecho, ha comenzado a internalizar (somatizar) la posición social que le ha sido atribuida, «sintiéndola» como una mujer, ya que «ventre» significa también útero: «Era un neguit que em semblava que em vingués del ventre». A partir de este momento se acelera la metamorfosis que le lleva a convertirse en la víctima perfecta: judía y de sexo femenino. Tiene la sensación de que se ha convertido en una sombra, de que es invisible; siente que ha perdido los últimos vestigios de su humanidad. Su lenguaje corporal cambia: deja de hablar; se desplaza con la cabeza gacha para esquivar los golpes; «se acuesta», literalmente, con quien sea (en este caso, un cadáver putrefacto) para obtener un plato de sopa extra. Y por último, ante su impotencia para provocar de manera activa la muerte que tanto anhela, se aleja arrastrándose para expirar pasivamente, absorto en sus sueños de retorno al útero materno. Es patente en «Nit i boira» la afinidad, comentada en la crítica, entre literatura del exilio y literatura existencialista; el prisionero/protagonista acaba siendo el Otro, o sea, lo que su carcelero, el Uno, cree que es.

«Cop de lluna» tiene como protagonista a Pere, un cocinero catalán contratado por una miseria a un granjero francés medio loco. El cuento narra la lenta transformación de Pere, que va reduciéndose hasta ajustarse a las necesidades de su amo; con el tiempo, acaba reemplazando a la fallecida mujer de éste. Pere intenta rebelarse una sola vez —el golpe de luna del título— cuando «el pare Michel» interrumpe sus ensueños del pasado para pedirle que se ponga a barrer. Si reacciona «como un hombre», atacando al granjero que le ha pedido que hiciera un «trabajo de mujer», es porque ha estado recordando su vida anterior, «quan érem capitans» [cuando éramos capitanes], en las elocuentes palabras del título de Pàmies. Inmediatamente después de la agresión, el texto «pierde el sentido» por unos momentos, y cuando se recupera (el sentido), Pere está cuidando solícitamente las heridas del padre Michel. La irrupción del pasado —de lo masculino— ha sido superada, y Pere acepta con sumisión su nuevo papel; sale a dar la comida a las aves del corral y experimenta «una extranya sensació de llibertat, com un vertigen» (p. 104) [una extraña sensación de libertad, como un vértigo]. Totalmente alienado, otro, coge la escoba y empieza a barrer.

Las historias agrupadas en la segunda categoría tratan o reproducen el efecto que la expatriación produce en las mujeres, que en su nuevo entorno pasan de una posición social de segunda clase a algo todavía más bajo. Se agudiza la dependencia económica de las mujeres refugiadas respecto de los hombres. Si en el terreno laboral las mujeres están, por tradición, en una posición de desventaja respecto a los hombres, las expatriadas lo están en un grado exponencial, dado que, sea cual fuere su clase social, tienen menos probabilidades de conocer una lengua extranjera, o de poseer un oficio u otras técnicas que se valoren económicamente en otra cultura. Al mismo tiempo, cuentan con mayores probabilidades de tener que ocuparse de niños o de padres ancianos[7]. Esta dependencia económica del hombre exacerba en la mujer la impresión de ser un objeto sexual, cuya supervivencia parece estar ligada a su habilidad en conseguir que el hombre siga interesándose en ella. Fenómeno que explica, en parte, la obsesión de las protagonistas de «El mirall» y «Paràlisi» con el envejecimiento y la subsiguiente pérdida de atractivo.

«Nocturn» retrata con terrible efectividad a una mujer exiliada que vive como peón sexual a merced de los caprichos del compañero. Al mismo tiempo, el relato simula textualmente la disminución de la mujer en el exilio. Una refugiada ya mayor, esquelética debido a la malnutrición, es abandonada por su irresponsable marido cuando comienza su parto. De hecho, tras los gritos de dolor de la parturienta que abren la composición musical aludida en el título, la narración también la abandona para centrarse en el marido. Las vecinas lo han enviado en busca de un doctor, y emprende un viaje tragicómico *au bout de la nuit,* mientras su esposa —explícitamente comparada a Penélope—, se queda esperando su regreso. Antes de embarcarse en esta versión doméstica de la gran búsqueda, ordena las páginas de un manuscrito que está escribiendo titulado «Conseqüències nefastes de la veritat» [consecuencias nefastas de la verdad]. Deja que su mujer pague, en un sentido bastante literal, dichas consecuencias. Al final, el cuerpo borracho de este Ulises moderno

---

[7] En «La mujer en el exilio», Montserrat Roig menciona algunos de estos efectos del exilio que son distintivos para la mujer, y concluye con estas palabras: «La mujer exiliada ha quedado relegada, en una gran mayoría, a las heroicas tareas de la supervivencia. En el mundo del exilio también ha ocupado el segundo lugar» (*¿Tiempo...,* p. 214).

Las españolas exiliadas encontraron que —paradójicamente— uno de los elementos distintivos de su educación inferior respecto de los varones en España les sirvió de mucho provecho en sus países adoptivos: las horas escolares o en casa dedicadas a la costura y bordado. Tal aprendizaje preparó a muchas de ellas para sacar adelante a sus familias en el exilio (Domínguez Prats, p. 5). Éste fue el caso de Rodoreda, quien pudo ganarse la vida —apenas— cosiendo en Burdeos. «Treballo fins l'embrutiment per a mal viure», le escribe a Murià en 1945 (*Cartes...,* p. 59). [Trabajo hasta el embrutecimiento para mal vivir.]

es metido en un coche celular, y termina el mundo *fictivo* del cuento como un nacimiento a la inversa: «Tot desaparegué per sempre carrer enllà, engolit per la nit i pel silenci» (p. 130) [todo desapareció para siempre carrera abajo, engullido por la noche y por el silencio]. Naturalmente, sólo ha desaparecido el mundo *del marido,* pero éste es el único mundo que el discurso ha desarrollado; la persona que realmente está dando a luz a un nuevo ser no merece ni una última mirada. Como Penélope, la esposa y su historia quedan abandonadas cuando el héroe parte. Silenciadas por los textos, dejadas junto con sus gritos fuera del alcance de los oídos del lector, estas mujeres del mundo novelístico se esfuman, como las mujeres reales, en la historia.

Lo mismo que «Nocturn», «Orleans, 3 quilòmetres» trata de refugiados mayores, otro matrimonio que a pesar de haber sufrido por partes iguales la degradación inherente al exilio, no ha alcanzado la más mínima igualdad en su relación. El marido domina y se siente superior a la mujer, y ambos se sienten superiores al tercer personaje, el desgraciado negro americano Wilson, un sirviente separado de su patrón, de su lengua y de su país por la guerra. «Orleans...» está ubicada en la fantasmagórica evacuación de París del mes de junio de 1942, experiencia que Rodoreda vivió y no olvidó jamás. Hablando con Baltasar Porcel de aquella «fugida de París, a peu, amb alguns espectacles al·lucinants: incendi d'Orleans, bombardeig del pont de Beaugency, amb carros plens de morts» [huida de París, a pie, con algunos espantosos espectáculos: el incendio de Orleans, el bombardeo del puente Beaugency, vagones llenos de cadáveres], Rodoreda le dijo que la evacuación había marcado la primera parte de su propio «viaje *au bout de la nuit*», el cual duraría una década (p. 234). «Orleans...» traduce en ficción aquella experiencia, repitiendo en todos los niveles el sintagma o proceso de degeneración sugerido por la metáfora del «viaje al final de la noche».

El relato empieza por la tarde, con el viaje de la pareja de ancianos en dirección a Orleans, donde esperan poder refugiarse de las tropas alemanas; termina en medio de la noche dentro de una granja abandonada, en cuyas ventanas se ven reflejadas las llamas que están devorando Orleans. Comienza con la repetida e infantil pregunta de la esposa: «¿Falta mucho para llegar a Orleans?», y termina con los gimoteos de Wilson, que dice que las ratas se están paseando por encima de su cuerpo, royéndole la cara (y la voluntad). Empieza con una pareja de desplazados, y termina con una familia burlesca, desplazada, racialmente mixta, ningún miembro de la cual parece tener posibilidades de sobrevivir[8].

La costurera soltera de «Fil a l'agulla» es otra refugiada empobrecida que depende de un hombre, en este caso de un primo, enfermo de gravedad. Ella cose hasta altas horas de la madrugada, pasando frío y hambre, hilvanando sus sueños de futuro. Por eso le gusta su oficio, piensa reflexivamente, «Sobretot perquè li permetia d'entreveure un univers de luxe i perquè mentre les mans li feien la feina soles, podia somniar» (p. 25). [Sobre todo porque le permitía entrever un mundo de lujo y porque mientras las manos hacían el trabajo solas, podía soñar.] Las fantasías que elabora son la materia de este cuento, por tanto en cierto sentido es ella la autora, el doble de Rodoreda. (Identificación realzada por el hecho de que durante sus años en Burdeos, Rodoreda se ganaba su magro sustento trabajando de costurera.) La soltera hilandera de cuentos o tejedora de novelas es una figura literaria tradicional, y muchas escritoras han adoptado la metáfora para describir sus propias actividades (véase Gilbert y Gubar, pp. 520-26, 638-42). La costurera de Rodoreda, como muchas de sus hermanas literarias, fragua destinos al bordar, inicia proyectos, como el sentido figurado de la frase «posar el fil a l'agulla» sugiere: la ruina de su arrogante patrón, el envenenamiento de su primo. Estos ensueños terminan puntualmente al mismo tiempo que su primer hilván, y la narración y el discurso quedan unidos sin que se note la costura.

Las últimas narraciones del grupo que versa sobre la infrafeminización de las mujeres exiladas son «El mirall» y «Paràlisi». Ambas

[8] Wilson, el único personaje negro en toda la obra de Rodoreda, es un ejemplo extremado del paria, que difiere tan sólo en grado de la vieja esposa dentro de su matrimonio, y de la pareja catalana dentro de la Francia en guerra. Es al mismo tiempo una figura intertextual, el homenaje más claro de Rodoreda a Faulkner, cuyos personajes inocentes le encantaban: «Els personatges literaris innocents desvetllan tota la meva tendresa, em fan sentir bé al seu costat, són els meus grans amics [...]: els servents negres de les novel·les de Faulkner, la noia de *Light in August*» (Pròleg, p. 32). [Los personajes literarios inocentes despiertan toda mi ternura, me hacen sentir bien a su lado, son mis grandes amigos [...]: los sirvientes negros de las novelas de Faulkner, la muchacha de *Light in August*.] Un negro infantilizado por el miedo, cosechero de algodón en su juventud, Wilson también se hace eco de otra evacuación en medio de una guerra, la de la ciudad de Atlanta, tal como está representada en *Gone with the Wind* (*Lo que el viento se llevó*), de Margaret Mitchell. La primera descripción de Wilson subraya esta deuda: «A la solapa de l'americana hi duia una rosella amb un sol pétal; els altres, el vent se'ls havia endut» (p. 292). [En la solapa de la chaqueta llevaba una amapola de un solo pétalo; los otros, el viento se los había llevado.]

tratan de mujeres mayores, una sexagenaria diabética en «El mirall», y una mujer algo más joven aquejada de su primera crisis reumática en «Paràlisi». Aunque disfrutan de una mayor estabilidad económica que los exiliados contemplados hasta el momento, están acosadas por algunos de los problemas típicos de las mujeres que envejecen y, al mismo tiempo, atípicamente intensificados por la expatriación. Se sienten sobre todo atrapadas por sus situaciones domésticas poco satisfactorias; carecen en el exilio de las vías de escape que tal vez tendrían en su propia cultura. En tanto que mujeres y en tanto que refugiadas son doblemente vulnerables a la dolorosa experiencia del paso del tiempo. Como mujeres, sufren de una manera muy acentuada los efectos físicos y psicológicos del envejecimiento, de la transición de «fada a bruixa» [hada a bruja], como lo definió Rodoreda en una entrevista (Porcel, p. 235); como exiliadas, comparten con su grupo la obsesión del tiempo (véanse Spalek, pp. 81-84; Ilie, pp. 61-67).

Tomando prestada la metáfora que utilizó Rodoreda para describir y estructurar el discurso fragmentario de *Mirall trencat* [Espejo roto], dichas historias parecen dos trozos de un espejo *fictivo,* quebrado que reflejan una misma vida —sospechosamente semejante a la de Rodoreda—, con distintos grados de fidelidad. Para simplificar, podría decirse que «El mirall», es una versión más elaborada y distanciada que «Paràlisi». Está narrada en pasado y en tercera persona, excepto en las escenas retrospectivas (que están en primera persona), mientras que «Paràlisi» es un monólogo en primera persona, narrado casi en su totalidad en presente y en pretérito perfecto. El último de estos cuentos está ambientado en Ginebra, donde Rodoreda pasó los últimos diez años de su exilio; su protagonista/narradora es una escritora bloqueada que, al igual que Rodoreda, había sufrido una parálisis en el brazo utilizado para escribir.

La viuda protagonista de «El mirall» se parece bastante a Teresa Valldaura de *Mirall trencat,* saboreando simultáneamente sus recuerdos y una bolsa de galletas prohibidas; parece probable que Rodoreda elaborara estos dos personajes más o menos al mismo tiempo. En cambio, la mordaz e introspectiva protagonista de «Paràlisi» no se parece a ningún otro personaje de la obra de Rodoreda; se trata de una intelectual de sexo femenino atormentada por lo que ella percibe como su pérdida de identidad. Esta pérdida afecta cuatro áreas (todas ellas excepto la última compartidas con la viuda de «El mirall»): 1) su degeneración física (el reúma o parálisis incipiente que ella se niega a reconocer; y su anemia, que al mismo tiempo se asocia en su mente/el texto con la menopausia); 2) el ocaso de sus poderes sexuales (el doctor suizo, al que ella esperaba conquistar, no reacciona a sus encantos. Ella atribuye una parte de este fracaso a su condición de extranjera; le da la impresión de que, en sentido literal, pierde algo con la traducción); 3) la pérdida de su catalanidad: cultura, recuerdos, lengua (busca sus palabras en el diccionario catalán, a pesar de que lo sabe inexacto, porque ninguna de las personas que la rodea posee el vocabulario botánico que ella necesita para evocar su jardín perdido/infancia/Cataluña; 4) la supuesta pérdida de su compañero, cuya crueldad o indiferencia precipitan su flirteo con el doctor. La tremenda sinergia del exilio, la nacionalidad, el género y la edad la han conducido al punto de la parálisis, no sólo en tanto que escritora, sino también en tanto que ser humano: como dice, «Paràlisi soc jo» [Parálisis soy yo].

Enfrentadas a unos problemas similares, las protagonistas de «El mirall» y «Paràlisi» adoptan unas parecidas estrategias de supervivencia. Naturalmente, se trata de las llamadas tácticas pasivas típicas de los impotentes del mundo entero: el silencio, la negación y la huida. En ambas historias, la mujer se niega a sí misma la seriedad de su enfermedad, y oculta el diagnóstico a la familia. Dicho encubrimiento le proporciona una sensación de satisfacción y de control, bien que limitado, sobre su desagradable situación doméstica. La huida ya no es tan fácil; a pesar de sus amenazas con regresar a Barcelona, andando si es necesario, la viuda de «El mirall» es demasiado anciana para cruzar la calle sin ayuda. La única huida que puede intentar es interna: retirarse a su habitación: «el seu món, ple de secrets, de retrats de persones que ni el seu fill ni la jove no coneixien» (p. 42) [su mundo, lleno de secretos, de retratos de personas que ni el hijo ni la nuera conocían]. Cuando está en su habitación, utiliza el espejo para seguir escapando; contemplando su imagen, evoca el rostro «real» que las arrugas esconden y después el mundo que aquel rostro veinteañero había conocido.

La huida no le resulta imposible a la escritora de «Paràlisi», más joven y capaz de ganar su sustento; la historia parecería terminar con su resolución de abandonar al compañero antes de que la parálisis total la deje en sus manos. Sin embargo, el lector debe dudar de esta resolución, porque ella ha socavado sistemáticamente la fe en la veracidad de sus palabras, haciendo del silencio y la negación una parte de su estrategia textual y existencial[9]. «Escric. Escric y no arribo a poder comunicar la gran barreja de sensacions que voldria poder comunicar. A la vida de debò no hi arriba ningú. Intents, proves. Assaigs. Escaramusses d'indi sioux que és el més astut. Nores [...]. Parlo de mi. I no parlo gens de mi. Quan algú molt intel·ligent dirà: Ja la tenim amb totes les seves astúcies d'escriptor que vol i no arriba ... i com confessa, Senyor ... es trobarà amb les mans buides. No donaré res. Parlaré sense parar de mi i no donaré res. Paràlisi soc jo» (p. 324). [Escribo. Escribo y no llego a poder comunicar la gran mezcla de sensaciones que querría poder comunicar. A la vida de verdad no llega nadie. Intentos, pruebas. Ensayos. Escaramuzas de indio sioux que es el más astuto. Nada [...]. Hablo de mí. Y no hablo en absoluto de mí. Cuando alguien muy inteligente diga: Ya la tenemos con todas sus astucias de escritor que quiere y no puede ... cómo confiesa, Dios ... se encontrará con las manos vacías. No daré nada. Hablaré sin parar de mí y no daré nada. Parálisis soy yo.] Con lo cual debemos sospechar que el final de «Paràlisi» no es más que una estratagema oportuna para poner término a una comunicación que no desea prolongar.

El silencio, la negación y la huida: este texto, que va mucho más allá de la ficción, pone en práctica las estrategias de su protagonista /narradora, difuminando aún más las fronteras entre esta criatura ficticia, la autora implícita y Rodoreda. Retrospectivamente, podemos ver que el epígrafe del relato (de *Les contrerimes* de P. J. Toulet) es en realidad su proyecto original: «Il faut savoir mourir, Faustine, et puis se taire, mourir comme Gilbert en avalant sa clé». [Hay que saber morir, Faustine, y después callarse, morir como Gilbert tragándose la llave.] Dada la confusión deliberada entre personaje ficticio y autora real de «Paràlisi», este epígrafe también puede interpretarse como el voto por parte de Rodoreda de tragarse las palabras, de preservar su intimidad con tanto celo en sus últimos, vulnerables, años como lo había hecho de más joven. Antes que

[9] Encuentro una prueba de su eficacia en el empeño de hacer dudar a la lectora en un brillante artículo de Maryellen Bieder sobre este cuento y otro rodorediano, «Pluja» [Lluvia]. Bieder está convencida de que la protagonista no se marcha: «Sola al final, como al comienzo, en la mañana de un nuevo día, la narradora proyecta su huida de la casa y del matrimonio, pero no va más allá del lenguaje. Como la narración *a posteriori* hace resaltar, la protagonista está atrapada en su cuerpo, en el tiempo y sus palabras estériles. No acierta a construir un camino verbal que la saque del callejón» (pp. 109-10).

confesarse, en la esperanza de provocar la compasión de su compañero y/o sus lectores, tragará con firmeza y huirá.

La imagen de tragar nos lleva a la última narración acerca del exilio, «La meva Cristina». En sentido metafórico, «tragar» denota otra táctica de supervivencia en condiciones adversas. Tragarse el orgullo, las palabras, tragar saliva, insultos; todo ello hace referencia a la capacidad de «tomar», para utilizar un modismo de la misma familia cuyas connotaciones sexuales ponen en claro qué es exactamente lo que hay que tragar, con o sin adornos lacanianos: el falo, el marcador de poder. Y, si bien en tanto que metáfora digestiva no es sexista, en tanto que metáfora sexual lo es un poco más. Ya que, como Octavio Paz demuestra claramente en su estudio de «La Chingada» (en *El laberinto de la soledad*), los hombres pueden ser degradados a la posición de las mujeres, pero son éstas las únicas que tienen una anatomía fisurada que las «destina» a esta labor de ingestión.

La historia relata las vicisitudes de un marinero náufrago y «su Cristina», la ballena que lo salvó al tragárselo; de su intensa simbiosis y eventual separación y de los esfuerzos problemáticos por reintegrarse al mundo del cual procedía. «La meva Cristina» versa sobre el tragar-como-medida-de-salvación en tiempos difíciles, y sobre las consecuencias, o productos finales de dicha ingestión. También/por lo tanto trata del exilio, o sea, tiempos difíciles en los que hay que tragar duro; también/por lo tanto de la condición femenina, o sea, existir como persona definida por/como orificio. Alegórica, onírica, fantástica, inspirada en Kafka (a quien Rodoreda admiraba mucho), esta breve narración se resiste a una lectura única, del mismo modo que los dos personajes principales se resisten a ser identificados: cambian de valencias, se intercambian los papeles, encarnan los opuestos. La naturaleza alegórica del lugar del exilio —único en la obra de Rodoreda acerca de este tema—, contribuye a esta polisemia y hace que el relato sea una historia de exilio interior además de exterior.

Si las historias precedentes seguían el modelo del Génesis hasta cierto punto, «desviándose» (utilizo el feliz término de Harold Bloom, «swerve») lo suficiente como para centrarse en el destino de Eva, «La meva Cristina» efectúa la misma variación/desviación sobre la historia de Jonás, una historia de exilio sorprendentemente similar. Como castigo por haber desobedecido a un dios encolerizado, Jonás fue lanzado al mar —al igual que Eva al Valle de Lágrimas—, donde se lo tragó un pez enorme [10]. Si bien el libro de Jonás no se extiende en la descripción de esta dramática forma de exilio/castigo, «La meva Cristina» sí lo hace, hinchando el lapso bíblico de tres días a meses y luego años, engordando el gran pez hasta convertirlo en ballena, aumentando a Jonás hasta que se vuelva un Todo Exiliado. Cuando se publicó «La meva Cristina», la expatriación de Rodoreda llegaba a su término. Es plausible que en aquellas circunstancias el libro de Jonás pareciera un paradigma más apropiado del exilio español que el Génesis, ya que el «destierro» de Jonás tiene un final, mientras que el de Adán y Eva no. El marinero de Cristina llega a regresar a su casa, desenlace que les está denegado a todos los protagonistas femeninos o feminizados de los cuentos anteriores.

Tal vez sea esta sensación de que la expatriación esté terminando lo que explica las diferencias radicales entre «La meva Cristina» y las demás historias analizadas; una vez que es posible imaginarse el exilio como una experiencia limitada en lugar de un estado degenerativo crónico, se presentan nuevas posibilidades de figuración. El modelo de exilio que «La meva Cristina» propone es el de la simbiosis, una relación de mutua dependencia prolongada pero finita, figurada en tres niveles metafóricos bien determinados pero fluidos. Uno de los niveles es el fantástico (marinero en el vientre de una ballena); otro el particular (expatriado en una cultura extranjera o exilio interior en una tierra natal hostil); y otro, el universal (feto en el útero materno). La metáfora universal, la de la gestación, dirige la lectura y enriquece la interpretación de las otras dos: las tres relaciones deben ser consideradas vitales, limitadas e indelebles. Además, las tres son «conseqüències nefastes de la veritat», ya que «nacen» del acto de tragar que todos los exilados se ven obligados a llevar a cabo.

Una vez más, Rodoreda ha utilizado una metáfora «femenina», el anatema de Eva, para dar forma a su grávido texto, pero esta vez lo ha hecho desde un ángulo inesperado. Porque, a pesar del título, «La meva Cristina» no trata simplemente del que traga, ya sea la ballena, la mujer embarazada, o el lugar/tiempo/experiencia del exilio; tam-

---

[10] Si Eva tiene una caída que la aboca a la inferioridad sexual y a la procreación, lo mismo le pasa a Jonás, ya que lo engulle una criatura asociada tradicionalmente con fuerzas femeninas perniciosas. El pez de Jonás, representado popularmente como ballena, está relacionado con Leviatán, el monstruo acuático, invariablemente femenino, de la tradición mesopotámica y cananea, al cual se lo representa en distintos momentos como cocodrilo, ballena o dragón. Véase Phillips, pp. 7-8.

bién trata de lo infrafemenino, el producto final de ese tragar: el aparentemente indigesto marinero, el feto gestante, el expatriado que sufre una metamorfosis. En el embarazo monstruosamente prolongado que es el exilio, el marinero medio enloquecido tortura, envenena, y vive literalmente de su portadora. Entre sus gemidos de dolor, la ballena sigue su rumbo: «La Cristina es gronxava igual que un bressol i em gronxava per adormir-me, però sempre m'en vaig malfiar. Vaig començar a menjar-me-la» (p. 254). [Cristina me balanceaba como una cuna, y me balanceaba para dormirme, pero siempre desconfiaba de ella. Comencé a comérmela.] Por fin liberado gracias a la muerte de Cristina/fin del exilio/parto, el marinero regresa a su lugar de origen, pero tan transformado, mental y físicamente, que sus antiguos compatriotas lo consideran un monstruo. Las secreciones de Cristina lo han cubierto de capas de perla (el factor irritante que se transforma en tesoro), y sus intestinos están tan acostumbrados a la carne de la ballena que sólo toleran la leche fresca (como un recién nacido). Una vez disuelto su caparazón de nácar, último vestigio de la dolorosa simbiosis que vivió con Cristina durante tantos años, emerge el marinero —otro Lázaro, o «topo» de la guerra civil—, con una piel tan tierna como «la d'un cuc de terra» (p. 225) [la de una lombriz], para poner en orden sus papeles. Los burócratas creen que miente acerca de su pasado inmediato, y él mismo ha olvidado su pasado lejano. Así, lo mismo que un hijo ilegítimo, tiene un futuro turbio. Echa de menos a Cristina y extraña el lazo que los unía en calidad de adversarios durante su peregrinación que aunque dolorosa era compartida. «La meva Cristina» es, sin lugar a dudas, una de las historias más complejas y hermosas jamás escritas sobre el exilio prolongado —exterior o interior—, y el efecto del mismo en la víctima/partícipe/creación.

Las obras de Rodoreda que tratan de la expatriación evolucionan a lo largo de los veinte años que separan la redacción de la primera de la de la última. Pero del mismo modo que el rostro «real» de la protagonista sexagenaria de «El mirall» podía ser descubierto bajo las adventicias arrugas, la «cara real» de estas narraciones puede distinguirse bajo los cambios de contenido, enfoque, estilo y tono. En Rodoreda, el rostro del exiliado es el de Eva, o de Toda Mujer: una criatura «nacida» (o de pronto convertida en) inferior. Lo mismo que las mujeres, los exiliados rodoredianos son seres disminuidos, siempre supeditados a los poderes vigentes, desde «la sombra» del campo de concentración, o el sirviente negro perdido por Francia, hasta la diabética que literalmente va disminuyendo de estatura o el marinero-convertido-en-extraño-indocumentado. Si bien las primeras narraciones se limitan a documentar esta asimetría, dos de las últimas, «Paràlisi» y «La meva Cristina», especulan sobre sus orígenes.

En una entrevista televisiva, en 1982, Rodoreda declaró que creía en la explicación del Génesis sobre la creación de la mujer a partir de la costilla de Adán (Riera, «Personajes...», p. 25), por lo cual tal vez no sea sorprendente que la protagonista/narradora de «Paràlisi» crea encontrar el origen de su condición de inferioridad en el momento en que Dios arrancó una costilla de Adán para crear a Eva. En su descripción, este acto establece de una vez para siempre el género, el orden lineal, la violencia y la jerarquía: «L'home rei, l'home tigre, l'home lleó. Home home. Si tot és home jo també sóc home. Pero l'home és més perquè totes les costelles que té són d'ell mentre que la dona és feta d'una costella de l'home. La dona lligada a l'home vinculada a l'home costella arrencada de les seves costelles [...]» (p. 323). [El hombre rey, el hombre tigre, el hombre león. Hombre hombre. Si todo es hombre yo también soy hombre. Pero el hombre es más porque todas las costillas que tiene son suyas mientras que la mujer está hecha de una costilla del hombre. La mujer ligada al hombre vinculada al hombre costilla arrancada de sus costillas [...].] «La meva Cristina» repite esta conclusión creacionista en términos darwinianos: desde el primer momento, el feto es una criatura a un tiempo diferente e inferior, como lo fue Eva. Y así es el exiliado, según la visión de Rodoreda: una criatura recién nacida cuyo destino es el género, y cuya función es ser el Otro, siempre el segundo sexo.

7. SEXO, MUJER SOLTERA, *MÉSALLIANCES* EN RODOREDA Y LAFORET

Aloma (Barcelona, 1936) de Mercè Rodoreda y *La isla y los demonios* (Madrid, 1952) de Carmen Laforet, son novelas «gemelas» en muchos sentidos. Lo son a pesar de las grandes diferencias personales, ideológicas y artísticas de ambas autoras, y a pesar de los disímiles ambientes culturales en que fueron escritas estas obras, la Barcelona de la preguerra y el Madrid de la posguerra respectivamente. Este trabajo se propone analizar el alcance, el significado, y en menor medida, la génesis de esta inesperada semejanza entre los dos textos [1].

Rodoreda nació, se crió y fue educada en un hogar pequeñoburgués fervientemente catalanista en la Barcelona de las vibrantes décadas que llevaron a la República y culminaron en la guerra civil. Laforet también nació en el seno de una familia de clase media barcelonesa, pero pasó sus años formativos y los de la guerra civil en la tranquila insularidad de las Canarias. *Aloma* fue escrita en 1936, momento de extraordinario cosmopolitanismo y brillo de la cultura catalana. *La isla...*, por su parte, fue compuesta en Madrid durante un período de varios años en medio de la más dura rigidez ideológica del régimen franquista, y fue publicada en 1952. Escribiendo ambas autoras en lenguas diferentes y bajo circunstancias sociopolíticas y culturales diamétricamente opuestas —una, rata de cloaca, ratón campero la otra, en una tierra donde tal distinción sigue siendo

---

La versión original de este capítulo, «Sex, the Single Girl, and Other *Mésalliances* in Rodoreda and Laforet», fue publicada en *Anales de la Literatura Española Contemporánea,* 12 (1987), pp. 123-40. La traducción al castellano es mía.

[1] *Aloma* fue escrita en 1936, pero Rodoreda la revisó y la volvió a publicar en 1969. Según Carme Arnau, la mayoría de los cambios eran estilísticos (pp. 200-05). He manejado la edición revisada.

Las referencias pareadas dentro del texto seguirán siempre el orden de publicación de las novelas: por «los dos hermanos, Joan y José», se entenderá que Joan es el hermano de *Aloma,* y José el de *La isla...*

importante—, Rodoreda y Laforet elaboraron sin embargo dos novelas «gemelas» sobre el hacerse mujer en la España del siglo veinte.

La clave de la sorprendente semejanza entre ambas obras la da la palabra «mujer». Ha existido sólo un modelo de hacerse tal en la España contemporánea: un único *Bildung* femenino para ser contado o vivido [2]. A pesar de su diversidad política, lingüística y geográfica (ejemplificada por ambas autoras), y sea cuál sea la época, la España moderna ha tenido una cultura monolítica en la cual «el destino está conjugado según el género, por no decir declinado» [3]. *Aloma* y *La isla...* son semejantes porque son variantes de un mismo sintagma que inscribe el desarrollo femenino. Las diferencias significativas de sus autoras en tanto personas y escritoras importan menos en último término que el género que comparten, es decir, sus parejas experiencias de esta trayectoria femenina.

Al rastrear el sintagma femenino común que existe en *Aloma* y *La isla...*, este estudio mostrará en qué grado ambas novelas son representativas de una tradición narrativa feminocéntrica más amplia, en el sentido en que la ha formulado Nancy Miller. Las ubicará también dentro de la tradición más antigua de la literatura carnavalesca, empleando una versión del paradigma bajtiniano, revisado a fin de que incluya el género además de la clase social como parámetro significativo para determinar la experiencia del carnaval [4]. Rodoreda y Laforet emplean el carnaval de manera semejante para hacer patente el muy diferente efecto que tiene sobre las mujeres la llamada carnavalesca a la «libre confraternización», y ambas llegan a la misma conclusión respecto de la manera cómo las mujeres deben conducirse frente a esta incitación cíclica a la «relatividad jubilosa». Al mismo tiempo este estudio considerará diferencias de importancia entre ambas novelas: todos los elementos que marcan a una de ellas como pieza temprana dentro de la obra de Rodoreda (escrita aquélla antes de la guerra civil y en Barcelona), y a la otra como una obra intermedia en la producción de Laforet (escrita en medio de la década opresiva de la autarquía cultural franquista). Si bien se trata

---

[2] Laforet me aseguró en una entrevista que no había leído *Aloma,* y que no tenía noticia de sus posibles semejanzas con *La isla...* Nichols, *Escribir...,* p. 129.

[3] Ésta es la apropiada descripción del destino femenino en la narrativa feminocéntrica hecha por Nancy Miller («Exquisite...», p. 38).

[4] Las ideas de Mijail Bajtin sobre el carnaval se explican en el capítulo 4 de su *Problems of Dostoevsky's Poetics.*

de obras «menores» en la producción de ambas autoras, analizarlas hace posible reconocer su lugar respectivo en la serie literaria de estas últimas y también recobrar su relación con un tiempo y un espacio histórico específicos [5].

Ambas novelas narran la historia de una joven (Aloma, Marta) cuya existencia monótona es interrumpida por la llegada de un hombre aparentemente sin compromiso sentimental (Robert, Pablo). Cómo maneja ella esta situación —«la confrontación erótica» en términos de Miller; la «coyuntura polarizadora» según Pierre Fauchery (citado en Miller, «Exquisite...», p. 35)—, es lo que determina el resultado de su vida/historia. Aun cuando las novelas concluyen de modo diferente, llegan a la misma conclusión: una joven debe abjurar de la sexualidad por completo si es que desea diseñar su propia vida.

Dado que comparten este tema central, no es sorprendente que *Aloma* y *La isla...* compartan asimismo numerosos motivos. Muchos de ellos se expresan como oposiciones binarias entre sí, que son aspectos de la oposición básica femenino/masculino: estatismo/movimiento; encerramiento/libertad; silencio/expresión; el matrimonio para la mujer/el matrimonio para el hombre; dependencia económica e independencia libidinal (indiferencia) de la mujer/independencia económica y dependencia libidinal del hombre; la literatura como fidedigna ventana al mundo/la literatura como engaño, mentira. Muchas de estas oposiciones quedarán suspendidas durante el carnaval, convertidas en inestables *mésalliances*. Otros motivos comunes son los de la sexualidad adulta como animalidad; la locura, la histeria o el suicidio como mecanismos para manejar la realidad; el hogar como el refugio para la mujer opuesto al hogar como trampa para ella.

Llevando el análisis a un plano más concreto es posible hallar

---

[5] Razones de espacio me prohíben entrar en el difícil terreno de la «calidad» literaria de estas dos novelas. La crítica feminista y contextualista está sensibilizada por el uso de términos valorativos aparentemente «objetivos» tales como «pieza menor» o «insignificante», que se han venido usando para menospreciar la literatura escrita por mujeres u otros marginados, al mismo tiempo que se le niega la inclusión dentro del canon. Véase el excelente estudio de estas tácticas en Kolodny. Tanto *Aloma* como *La isla...* son artefactos literarios estéticamente dignos, aunque ninguna alcanza el grado de integración artística de otros textos de sus autoras, como *La plaça del Diamant, Mirall trencat* o *Nada.* Tal vez las mismas «deficiencias» de estas novelas propician la comparación que aquí se lleva a cabo.

numerosos elementos simbólicos compartidos por ambas novelas. Tal como puede esperarse en las novelas que inscriben la feminidad, abundan las metáforas arquitectónicas y geoespaciales que mentan el encierro. Muchos de estos elementos, como es lógico, también son expresados como oposiciones binarias: jardín/casa, casa/calle, jardín/calle (todas las gradaciones del continuo espacio privado/espacio público); desvanes (lugares donde se cavila hasta la perdición); ventanas (hacia el jardín, hacia el mundo exterior); el puerto (otra «ventana»); el mar; pájaros; jaulas; animales en celo (gatos en *Aloma,* chivos en *La isla...*); fuego. Ambas novelas emplean bisémicamente la palabra *sirena,* que tanto en catalán como en castellano significa pito de navío y ninfa marina. Los navíos tientan con sus pitidos a las muchachas encerradas en sus casas con aventuras «en el mar», más allá de sus mundos clausurados. Al mismo tiempo, las muchachas usan «canciones de sirena» para tentar a los marineros a abandonar sus viajes y sus consortes distantes.

Más semejanzas se hallan en el nivel de los personajes. Cada una de las muchachas es huérfana (la madre de Marta vive pero en estado catatónico), y reside con un hermano casado, obsesionado por el sexo y el dinero [6]. Las cuñadas son personalidades depresivas en ambas novelas; sus enfermedades son las clásicas de la mujer burguesa: agorafobia e histeria. Anna se convierte en una matrona y se niega a dejar la casa; Pino pasa alternativamente de ataques histéricos a períodos agresivos. Ambas novelas presentan por igual una tipología tétrica de mujeres adultas: la prostituta; la novia sonrojada (de igual edad que la protagonista, y contraste de ella); la mujer de más edad que ha experimentado un matrimonio desastroso; y la «otra mujer», pareja ausente del hombre protagonista, mujer a la vez enigmática (¿víctima, victimaria?) y exótica (latinoamericana).

Ambas novelas poseen una estructura similar. La acción princi-

---

[6] Estas dos obsesiones de los hermanos están codificadas redundantemente, dentro del texto y fuera de él también, intertextualmente. En la tradición cultural y literaria española, el hermano de una joven cuyo padre ha muerto tiene una sola función: salvaguardar el honor de ella (que viene a ser el de la familia entera, claro). Los hermanos de estas novelas, excesivamente dedicados a la satisfacción de sus apetitos, no vigilan a sus hermanas. Es más, conscientemente o no, les animan a la prostitución con tal de percibir ellos suficientes beneficios. Puede ser que el intercambio regulado de las mujeres sea el fundamento de toda civilización humana, pero dentro de la tradición hispánica queda mal pregonarlo; no conviene llamar a ese pan (una hermana virgen), pan (mercancía). La caracterización desaforadamente negativa de los dos jóvenes maridos se armoniza con el tenor antimasculino de las dos obras.

pal —el hermeneutismo de Barthes—, se desarrolla linealmente durante siete meses. *Aloma,* la más abiertamente trágica de ambas, comienza en la primavera y termina en el otoño. Invirtiendo este orden pero no su signo, como se verá, *La isla...* comienza en noviembre y termina en mayo. El enigma que plantea este hermeneutismo es clásico en los textos feminocéntricos; lo expresa económicamente Miller: «"*Tombera? tombera pas?*" Caerá o no caerá ella, éste es el placer —escribió Huysmans con cierta lasitud— del texto psicológico» (*Heroine's...,* p. 37).

Las acciones estructurales menores, lo proairético de Barthes, son asimismo lineales y abundantes. El lector o la lectora son saturados de descripciones de hechos anhelados y totalmente triviales: obtener cortinas nuevas (Aloma), pasear con Pablo (Marta). El intenso placer que Marta y Aloma extraen del mero imaginarse la inminencia de estos hechos tan banales da la medida de la intrascendencia de sus vidas. Ese deleite también muestra hasta qué punto están condicionadas a vivir sus vidas virginales en función de (un único y sancionado) desenlace: «de petita li havien dit que quan seria gran es casaria, que havia de saber portar una casa perquè en tindria una de seva. Que s'hauria de casar per poder tenir fills. Que per ferlos créixer havien de ser dos» (p. 113) [de pequeña, le habían dicho que cuando era grande se casaría, que necesitaba saber llevar una casa ya que tendría una propia. Que había de casarse para tener hijos. Que para criarlos tendrían que ser dos]. Marta ha oído el mismo mensaje: «La vida para una mujer es amor y realidad. Amor, realidad, palpitación de la sangre [...]. Tienes dentro de ti semillas de muchos hijos que han de nacer; eres como una tierra nueva y salvaje y debes esperar como la tierra, quieta, el momento de dar plantas» (p. 130). Ambas novelas prueban la falsedad de esta afirmación, a su manera, haciendo que las lectoras experimenten la desilusión de la protagonista respecto de un proyecto fracasado.

En vista de que los desenlaces se destacan tanto estructuralmente, los finales de ambas novelas adquieren un interés especial. *Aloma* termina con su protagonista solitaria y sintiéndose como muerta; en *La isla...* Marta asiste a una cena de despedida con su familia antes de partir hacia un mundo más vasto. A pesar de estas señales convencionales de desenlace cómico o eufórico, *La isla...* no es una novela optimista o siquiera de final abierto; es en cambio —y en esto muy semejante a *Nada*—, profundamente engañosa. Se podría usar con ligeras modificaciones la perspicaz descripción que Ruth El Saffar ha hecho de esta última, aplicándola para resumir qué es *La isla...*: «La novela ostenta mala fe [...]. El final feliz y la ilusionada [Marta] se unen para producir un efecto que no concuerda con los temas básicos de la novela» (pp. 127-28). Casi la misma oración clave que alerta a la lectora sobre lo engañoso de *Nada* —«Al menos así creía yo entonces»—, se repite con efecto semejante en *La isla...*: «Pero hay personas a las que el amor no quiere detener o aprisionar. Ella estaba libre delante de su juventud. Para sus pies eran los caminos. Así pensaba» (p. 313). Este «así pensaba» sugiere que la joven Marta se equivocaba en su optimismo, y que el amor sin duda la aprisionaría luego. *La mujer nueva,* novela que Laforet publica en 1956 acerca de una mujer madura e infelizmente casada, parecería contar la historia de este aprisionamiento posterior.

Las novelas de Laforet y de Rodoreda tienen poco en común estilísticamente. Sobre todo en su versión revisada, la prosa de *Aloma* es lacónica; *La isla...* por su parte, es excesiva y verbosa[7]. La novela de Rodoreda se limita a seguir los pensamientos y el desarrollo de Aloma; la narradora omnisciente de Laforet se concentra en Marta, pero conoce frecuentemente los pensamientos de otros personajes. Esta tendencia culmina en los capítulos 16, 17 y 18, dedicados a las vidas de tres personajes secundarios.

Aloma plantea el enigma central *«tombera? tombera pas?»* en términos casi naturalistas: los factores económicos y biológicos que acarrean y derivan del desliz de Aloma son puestos en relieve, otorgando a esta novela un toque intelectual que falta en la de Laforet. El carácter literario de la novela de Rodoreda está realzado por el empleo frecuente de los epígrafes (veinte, uno para cada capítulo). Tal como se deduce de la segunda mitad de su título, *La isla y los demonios* trata la «confrontación erótica» en clave moral, por no decir religiosa. Cuando estaba escribiendo *La isla...,* Laforet era sólo nominalmente católica, pero la mistificación de la castidad femenina no se limitaba a la Iglesia en esos años. La propaganda falangista, canalizada desde la Sección Femenina y apoyada oficialmente en la industria editorial y cinematográfica, promovía la

---

[7] Esto responde en parte a las muy distintas tradiciones retóricas del castellano y del catalán, y en parte a los distintos modelos *fictivos* que imperaban en la Barcelona republicana y en el Madrid de la posguerra. Concretamente, los escritores «duros» norteamericanos eran los predilectos de aquel ambiente, mientras que en éste dominaban las traducciones de una ficción de masas procedente de Inglaterra, Alemania, Estados Unidos y Francia. Sobre lo último, véase Bozal.

castidad como la «perenne» virtud de la mujer española[8]. A este discurso oficial se lo ve brillar detrás de algunas de las afirmaciones más inverosímiles de *La isla...,* como el «Yo no quiero manchar mi pureza» (p. 119) de Marta, dicho sin ironía alguna; o en la descripción de las «relaciones corporales entre hombres y mujeres» como «un mundo sucio, hirviente», «un fangal», que inspiran en Marta un «desesperado afán de pureza» (p. 41).

Muchas de las características que comparten Aloma y Marta Camino hacen de ellas heroínas adolescentes paradigmáticas. Ambas son huérfanas, o sea desprotegidas, y ambas acaban de llegar a la edad núbil, o sea que se hallan necesitadas intensamente de protección familiar. Señala Miller: «La huérfana ofrece una ventaja especial en lo narrativo dado que la inseguridad social se complica con la vulnerabilidad sexual: la heroína huérfana constituye una serie predecible de espacios en blanco para llenar» (*Heroine's...,* p. 5). Ambas muchachas viven encerradas y todas sus salidas se consideran como sucesos especiales que requieren el permiso del hermano. Marta vive en el ambiente menos «peligroso» de una capital de provincias (donde el control social informal en la forma del *qué dirán* es aún fuerte) y asiste a la escuela, de modo que se halla habitualmente menos limitada que Aloma. Pero las salidas reales o posibles adquieren tal proporción en las vidas de ambas muchachas que podrían ser consideradas inverosímiles o aun ridículas por lectores sin conocimientos culturales adecuados. La ignorancia de Aloma acerca de los dramáticos hechos políticos que ocurren en la Barcelona republicana es un índice de su encierro, tal como lo es estar ella desprovista de apellido. Sólo dos veces se pone en contacto con esos hechos tumultuosos, cuando por casualidad sale a la calle para cumplir con recados que su cuñada no puede realizar por ser agorafóbica.

Marta expresa repetidamente su deseo de ser una «vagabunda», pero cada vez que lo hace, el texto subraya escrupulosamente lo anómalo de tal deseo[9]. El castigo más cruel de su hermano José

---

[8] Sobre las creencias religiosas de Laforet, véase Johnson, pp. 28-29. Sobre la presencia de la moralidad oficial en la política editorial, véase Nichols, «Children's...». Carmen Martín Gaite recuerda la promoción oficial de la pureza y los efectos que tuvo en su generación (que es la de Laforet) en *Usos...*

[9] Cuando su abuelo le explica que su papá había sido «algo bohemio y vagabundo», un hombre que siempre tenía «ganas de marcharse», Marta pregunta si una mujer puede ser así. Le contesta riéndose: «"No, una mujer no... Nunca oí eso. Iría contra la

consiste en confinarla dentro de la casa totalmente (cap. 12); su hazaña más grande es realizar sola un viaje clandestino en autocar, en busca de Pablo (cap. 13). Su mismo nombre, Marta Camino (extraordinariamente parecido al de Martha Quest, la heroína de Doris Lessing que también aparece por primera vez en 1952), sugiere su afinidad con el movimiento. Su nombre de pila es, por otra parte, al evocar la Marta bíblica, tan orgullosa de sus virtudes caseras (Lucas 10.40), una reafirmación de su destino marcado por la condición femenina: «Es verdad que desde niña el fin de su vida pareció ser éste: vivir resguardada, sometida y pacífica» (p. 147). Su apellido parece prevalecer hacia el final pero, como se ha visto, la voz narrativa desmiente esta ilusión risueña: «Para sus pies eran los caminos. Así pensaba» (p. 303).

Ambas muchachas comparten una característica de las heroínas adolescentes: son lectoras ávidas y clandestinas. Buscan en la ficción enterarse del mundo que se les prohíbe experimentar. Otra vez aparece la idea de la lectura como algo nocivo para las jóvenes; en toda esta narrativa femenina se sugiere que tales lectoras, ingenuas y soñadoras, están mal equipadas para cuestionar los modelos de vida propuestos en las novelas que leen. Las Martas y Alomas del mundo real sólo pueden suponer que estos modelos son veraces hasta el momento en que un hecho los contradiga, abriéndoles así los ojos. Es significativo que cada una de ellas se apasione por la literatura por influencia de un pariente masculino —hermano, padre—, a quien ha querido y que ha sido un inadaptado, insatisfecho con su mundo. Aun cuando ni el hermano de Aloma ni el padre de Marta adquieran proporciones satánicas, cada uno de ellos es una figura rebelde que tienta a la joven a que experimente lo prohibido. Ambos hombres mueren: Daniel, sin duda como suicida; el padre de Marta en un accidente automovilístico. Según decreto oficial de la época de posguerra, el suicidio sólo podía ser mencionado en la literatura a condición de condenarlo. La voz narrativa de *Nada* no duda en condenar a Román por suicida, pero en *La isla...* el padre de Marta no es censurado [10]. Los dos hombres se asocian con desvanes, lugar

---

naturaleza." Sin embargo, Marta se estaba convenciendo de que, a pesar de todo, algo de vagabunda tenía ella. Siempre soñaba con ver países lejanos. Las sirenas de los barcos le arañaban el corazón de una manera muy extraña» (p. 29). Véanse también pp. 49, 199, 201, 209.

[10] Es interesante notar que en la versión cinematográfica de *Nada,* hecha a finales

donde se dedican a sus cavilaciones alienantes; ambos están, casi literalmente, «mal de la azotea». Allí Daniel vive/lee, comunica/«contagia», y muere; por su parte, el padre de Marta había pensado instalar una biblioteca en el suyo antes de perder interés en la vida. En ese mismo desván Marta encuentra los cajones aún cerrados de los libros del padre y allí se recoge todas las noches para entregarse a unos placeres prohibidos.

La imagen del libro se yuxtapone frecuentemente a la imagen de la ventana en estas novelas (*Aloma,* pp. 9, 18, 51, 125; *La isla...,* pp. 164-66); ambos ofrecen a la persona encerrada una vista del mundo. La vista, sin embargo, es parcial, y dado que se la ve desde un punto de vista limitado, las que miran no pueden darle perspectiva. Las muchachas sólo ven desde sus dormitorios un bello trozo de jardín: no pueden verlo con profundidad histórica o espacial. Las novelas que leen ofrecen una visión de la vida como aventura y romance; las muchachas no perciben las figuras contrastantes del entramado, los cadáveres de sus parientes literarios, los espíritus mortecinos de su familia femenina. Del mismo modo, perciben/aprehenden su trozo de jardín como un rincón florido olvidando que también representa el lugar de la caída. Aloma olvida rápidamente los rituales crueles del apareamiento de los gatos que ha visto en el fondo del jardín; Marta sólo lo percibe como un tranquilo refugio lejos de las batallas sexuales y territoriales mantenidas dentro de las paredes de su casa (pp. 22-25, 28, 50, 71, 74).

Apenas comienzan las novelas, las muchachas son presentadas en la tarea de escribir su propia literatura, considerada claramente como fantasía por ellas mismas pero rápidamente convertida ante sus ojos en una profecía que se cumple por sí misma. Aloma le escribe cartas a un amante imaginario quien tiene «por casualidad» el mismo nombre que su cuñado recién llegado. Encolerizada por su creencia en tales ficciones, decide terminar la «relación»: «Com que tot el que t'escric és mentida, fes el que et sembli i no tornis. Vés-t'en ben lluny» (p. 56). [Como todo lo que te escribo es mentira, haz lo que te parezca y no vuelvas. Vete bien lejos.] Marta escribe cuentos sobre dioses y demonios locales que son versiones apenas disimuladas del mito de la creación, reflexiones acerca de la naturaleza de la caída. Está tratando de entender, en otras palabras, la génesis del género y

---

de los años cuarenta y dirigida por Edgar Neville, Román no se suicida, sino que muere a causa de una caída.

del deseo sexual, cuyos efectos desastrosos (y para ella repulsivos) observa a su alrededor, en la histérica Pino, en su madre catatónica, en la loca Vicenta, etcétera.

No se abrirán los ojos de las muchachas hasta que no hayan experimentado la «coyuntura polarizadora». Como su nombre lo sugiere, este hecho fija la polaridad de ambas (el signo de su identidad) por vida. Más que un rito de pasaje es un billete de ida sola hacia el polo cargado negativamente, la condición de ser mujer. Una vez que este momento haya sido sobrepasado la literatura será vista como lo que es: una ilusión, una receta de desesperanza y muerte. (El hermano literario de Aloma, una vez que la vida lo desengaña de los sueños —o ventanas— ofrecidos por la literatura, se suicida con un trozo de vidrio tomado de una ventana.) También el jardín será percibido estereoscópicamente como un lugar donde los hombres —y su tipo de deseo— habían recibido de una vez y para siempre la primacía sobre las mujeres. En el jardín de Aloma, recuerdan los lectores, el gato ha preñado tantas veces a la gata que la ha llevado a la muerte. Marta, en su jardín, termina por vislumbrar a su «santo» amigo artista en indecente contacto con su pobre tía estúpida. Dado que la primera confrontación erótica de Marta está tan disimulada que se hace casi invisible para los lectores no iniciados, esta segunda experiencia sirve para hacer explícita la identificación de la coyuntura polarizadora con el ejercicio de la sexualidad adulta, equivalencia establecida en el Génesis. Ver este acto, que Marta compara con haber sido «mordida por los demonios», cambia el rumbo de su vida para siempre: «la marcaba como un hierro al rojo» (p. 295). Como si una sola mención de tal irreparable efecto sobre su persona fuera insuficiente, repite tres variantes distintas del «Nunca volvería a ser la criatura ciega y feliz de antes» (p. 296). «Los demonios» del título de la novela, por tanto, se identifican por último con el deseo sexual adulto, punto sobre el que se volverá luego.

Mientras las dos muchachas hacen sus maletas al final de las novelas (preparándose para partir de las casas que representan metafórica y metonímicamente su niñez), llevan a cabo una especie de «diálogo en el umbral» entregando así su «palabra final» sobre literatura en sus vidas. Como el clásico diálogo en el umbral descrito por Bajtin, éste es provocado por la gravedad de una situación liminal extraordinaria. Sin embargo, presenta ciertas importantes diferencias respecto del modelo bajtiniano, las cuales pueden ser debidas al género de las protagonistas; siendo mujeres, no conforman al modélico protagonista del crítico ruso. En *Aloma* y en *La isla...* no se trata del «discurso inacabado» de «una persona *en el umbral* de una decisión última [...] tomada en el momento de cambio para su alma, un momento que no tiene fin, y que no se puede determinar» (p. 61), porque en este punto ni Aloma ni Marta tienen una decisión por tomar. El futuro de cada una de ellas está ya determinado, tal como lo explica Nancy Miller: «no obstante la *actitud* que tenga, el destino último de la heroína se correlaciona directamente con su actuación en la esfera sexual» («Exquisite...», p. 39).

¿Cuál es, pues, el diálogo en el umbral que pueden mantener nuestras heroínas? Cada una de ellas destruye ritual y silenciosamente sus palabras escritas, las torpes verbalizaciones que habían representado —«así pensaba»— su superioridad respecto de una cualquiera como Coral o Pino. Al final, cerrando para siempre esta ventana sobre el mundo, ambas heroínas producen un discurso femenino: se callan. La última página de *Aloma* resume esta experiencia.

> Vora dels hospitals [...] unes lletres negres deien: «Silenci». Va anar cap a la porta, trasbalsada, i va sortir a les palpentes. Baixava l'escala a poc a poc, com si fos una escala que no s'hagués d'acabar mai. Va tancar totes les portes, totes les finestres. Abans de sortir al carrer va passar els dits pels ferros del reixat [...]. Va tornar a sentir el crit mig ofegat d'una sirena i es va tapar les orelles amb les mans [...]. I Aloma es va perdre carrer avall, com una ombra, dintre de la nit que l'acompanyava.
> [Cerca de los hospitales [...] una letras negras decían: «Silencio.» Caminó hasta la puerta, trastornada, y salió a tientas. Bajaba la escalera despacio, como si no tuviera fin. Cerró todas las puertas, todas las ventanas. Antes de salir a la calle pasó los dedos sobre los hierros de la verja [...]. Volvió a escuchar el grito medio ahogado de una sirena y se tapó las orejas con las manos [...]. Y Aloma se perdió calle abajo, como una sombra, dentro de la noche que la acompañaba.]

Si las semejanzas entre Aloma y Marta representan la invariabilidad de la trayectoria femenina, narrativa y real, sus desemejanzas dan muestra de la diversidad de los ambientes —novelísticos y concretos—, que habitaban tanto ellas como sus autoras. Las dos novelas están marcadas por la exageración, la hipérbole. *Aloma* está sobrecodificada como obra patética; *La isla...* lo está como obra ejemplar: parece un cuento del santoral. Dada la omnipresencia de la hagiografía en esos años de la posguerra, nada tiene de extraño que Marta se parezca a las vírgenes y mártires que poblaban ese subgénero literario y cinematográfico. Como ellas, es una joven que rechaza la sexualidad en aras de su dios, en este caso el dios del Arte.

Aloma por su parte, tal como se podría esperar de la heroína de una novela patética, está caracterizada redundantemente como víctima. Además de la vulnerabilidad respecto de edad, género y orfandad que comparte con Marta, Aloma posee la suya propia. Como otras heroínas rodoredianas —Natàlia/Colometa, Cecília Ce, Rosamaria y Teresa Goday— Aloma es pobrísima, lo cual condiciona absolutamente sus respuestas a los percances de la vida. Desheredada por descuido del padre en el momento de redactar el testamento, no puede impedir que su hermano venda la única herencia familiar que le importa, la casa con el jardín.

Igual que Rodoreda y que varias heroínas suyas, Aloma no ha podido continuar sus estudios más allá de los primeros años. El que a causa de esta privación la joven no tenga ningún medio para ganarse la vida honradamente no parecería tener mucha importancia al principio de la novela, porque su hermano le ha prohibido trabajar, prefiriendo pasar estrecheces que dar que hablar a los vecinos. Al final de la novela, sin embargo, todo ha cambiado; es probable que ese mismo hermano la eche de su casa junto con su crío ilegítimo. En tal caso, Aloma sabe que sólo podrá ganarse la vida en la calle (p. 117). Enjaulada como las gallinas —única ave que figura en la novela—, desprovista de dinero y de instrucción, Aloma sólo tiene a su triste cuñada como cartilla. Al principio, antes de aprender bien las lecciones impartidas por esta cartilla, se obstina en formar oraciones no gramaticales como: «L'amor em fa fàstic!» y «No penso casar-me». [El amor me da asco! No pienso casarme.] Pero poco a poco aprende a hablar «bien», o sea, a callar oportunamente: «Hauria volgut de dir-li que li agradaria passar la vida asseguda de cara al port, al costat d'ell» (p. 74). [Le hubiera gustado decirle que le encantaría pasar la vida sentada de cara al puerto, al costado de él.]

Marta goza de muchas ventajas respecto de Aloma. Tiene dinero y una casa, heredada no de su abúlico padre sino de su madre. Subraya que esta casa no pertenece ni siquiera parcialmente al hermanastro, José: es «la casa de mi madre, ¿entienden? De mi madre y mía» (p. 70). José es su tutor, pero no manda en sus finanzas; y ya que ejercer una tiranía económica sobre las mujeres caracteriza infaliblemente a los jóvenes casados de estas novelas, él se descarga en su mujer, ésta sí pobre. Marta puede permitirse el lujo de desdeñar el dinero, pero el texto subraya que tal idealismo no es para todas. Varios personajes con más mundo que ella señalan lo importante que es para una mujer disponer de sus propios fondos. Al final, si José le permite irse de la isla es en función de su herencia.

Como si tener dinero y casa propios no fuera suficiente fortuna, Marta también ha podido estudiar, esto es, ha podido salir de la casa de manera regular, tener amigos y modelos familiares fuera de su propia casa. Una vez enamorada de Pablo, fácilmente se las ingenia para poder pasar todas las mañanas en la ciudad, libre del control familiar, porque puede alegar que necesita estudiar con sus amigas. Cuando se va de la isla es con la tibia pero socialmente aceptable pretensión de seguir sus estudios en la universidad.

La historia o la secuencia narrativa desarrollada en torno a estas protagonistas similares es casi idéntica, como ya se ha dicho, por lo menos hasta el fatídico momento de la resolución de la «coyuntura polarizadora». Resumir este sintagma compartido completará la comparación de *Aloma* y *La isla...,* y dará lugar al planteamiento de unas cuestiones teóricas suscitadas por los muchos puntos de contacto —y de divergencia—, entre las novelas. A su vez permitirá la ubicación de éstas dentro de las respectivas trayectorias de sus autoras.

Ambas novelas comienzan con una gran expectativa, al borde de un suceso largamente anhelado por la protagonista. Así, en las primeras páginas se presenta la secuencia de sugestión y de expectación que ambas obras codifican, tan redundantemente, como hermeneutismo, proairetismo y símbolo. En *Aloma,* la más literaria, el nombramiento de este suceso es precedido por la explicación del nombre de la protagonista; en *La isla...,* por otra parte, se comienza directamente con la imagen de Marta en el borde (de un muelle), mirando hacia adelante, esforzándose por vislumbrar su futuro. Aloma también acude a un muelle a esperar la llegada de lo/el desconocido.

Claro está que es un hombre el que desembarcará, teñido metonímicamente de la aureola de otros viajeros sonados, Ulises o Teseo [11].

---

[11] Las parejas Ulises/Penélope y Teseo/Ariadna figuran con frecuencia en la narrativa de varias de estas escritoras catalanas, como hemos visto. Sin ir más lejos, en «Nocturn» y «Paràlisi», los cuentos de Rodoreda analizados en el capítulo 6; en *El mismo mar de todos los veranos* de Tusquets, considerado en el capítulo 4; en la literatura infantil de Matute («El polizón del "Ulises"»). En *L'hora violeta* de Montserrat Roig,

Con la llegada de ellos, ya puede comenzar la historia; quebrado el monótono círculo del tiempo doméstico, se inicia la linealidad.

Una vez puesta en marcha la implacable locomotora del «suceso anhelado», una serie de tácticas dilatorias dan forma al resto de la novela. Una de éstas consiste en una fase de desencanto sufrida por la heroína; los visitantes no han resultado ser tan interesantes como se los había imaginado, y la vida parece volver a su rutina. Entonces, de pronto, el hombre fija su mirada en ella y elige su oído como receptor de su palabra [12]. A pesar de las grandes diferencias estilísticas entre estas obras, ambas son igualmente explícitas en señalar que esta palabra es el factor desencadenante de la confrontación erótica. Nancy Miller ha notado «el poder sexualizador de la palabra» en otras novelas feminocéntricas, diciendo al respecto: «recibir la palabra es ser penetrada por ella» («Female...», p. 630).

Aquell oi, tan innocent, que mai no l'hi havia sentit a dir, va trasbalsarla. Mai no hauria imaginat que tingués un so tan dolç i tan tendre [...]. «Si ara em preguntés què penso, què li contestaria?» Robert s'estava acabant el gelat; el d'Aloma s'anava fonent.
—No t'agrada aquest gelat?
—Molt. Però tinc set [p. 75].
[Aquel ¿no?, tan inocente, que nunca le había oído decir, la conmovió. Nunca se hubiera imaginado que tuviera un sonido tan dulce y tan tierno. [...] «Si ahora me preguntara qué pienso, ¿qué le contestaría?» Roberto estaba terminando el helado; el de Aloma se estaba derritiendo.
—¿No te gusta este helado?
—Mucho. Pero tengo sed.]

En la novela de Laforet las fintas y paradas de la seducción oral son todavía más obvias (lo que recuerda la seducción de Andrea por Román en *Nada*):

—Dime, Marta Camino, ¿por qué miras tanto a Hones cuando coqueteas con ese muchachillo...?
Había sido casi un susurro. Marta quedó pasmada. La impresión la dejó pálida y al mismo tiempo no sabía por qué se impresionaba tanto. Le pareció

---

la protagonista Natàlia medita largamente sobre la vigencia actual de la historia de amor entre Ulises y Penélope, pp. 23-29, 225. Véase el artículo de Catherine Bellver sobre «el síndrome de Penélope» en la narrativa de Roig.

[12] Viene muy al caso recordar aquí la clásica imagen de la Anunciación a María, fecundada por el Espíritu Santo a través de la oreja.

que nunca le había preguntado nadie una cosa tan íntima. Era como si le tocaran una zona de maldad que ella no hubiera reconocido nunca en su alma sin esa pregunta [p. 88].

Una vez que la palabra masculina ha roto el hielo —o derretido el helado— se deja al descubierto el fuego femenino. Desde luego, tales antítesis —fuego e hielo, espíritu (palabra) y carne—, son lugares comunes en la descripción del amor loco o romántico. Pero el uso de imágenes pareadas y contrastantes también caracteriza la literatura carnavalesca, según Bajtin, es decir, la literatura que imita la exuberante suspensión de la vida cotidiana que es la esencia del carnaval. Las confrontaciones eróticas de *Aloma* y de *La isla...* tienen lugar en un ambiente carnavalesco, respectivamente la *revetlla* de San Juan y la desenfrenada celebración de la caída de Barcelona ante los nacionales en 1939, o sea, un período caracterizado por la «libre familiarización del hombre y del mundo», por «*mésalliances* carnavalescas» o parejas oximorónicas, y por varios «rituales ambivalentes y dualistas». Escribe Bajtin: «El carnaval es el lugar donde se practica, en una forma concretamente sensual, mitad real mitad fingida, *un nuevo modo de relacionarse la gente,* en contraposición con las todopoderosas relaciones socio-jerárquicas de la vida no carnavalesca. El comportamiento, el gesto y el discurso de una persona se liberan de la autoridad de todas las posiciones jerárquicas (de clase, de rango, de edad, de propiedad) que las definen por completo en la vida no carnavalesca» (p. 123). Bajtin no menciona el género como una de las categorías burladas o trascendidas en el carnaval, pero es claro que en los carnavales de *Aloma* y *La isla...* se han suspendido también los «campos magnéticos» del género. Por una noche las chicas pueden errar por las calles con hombres de completa virilidad y de dudosa disponibilidad para el matrimonio. Por su parte, los hombres pueden alternar en esta noche con muchachas de su casa en vez de hacerlo con mujeres de la calle.

Ambas muchachas han sido preparadas para la coyuntura erótica por las palabras de sus respectivos compañeros, pero es a fin de cuentas el carnaval —tanto como suceso como forma de pensar— que las fuerza o las libera para satisfacer sus deseos, como si fueran hombres. Bajo el encanto del carnaval la muchacha y su acompañante se mueven de una «plaza carnavalesca» a otra, ingieren comidas desacostumbradas, observan comportamientos licenciosos, y como otras Cenicientas no hacen caso a la hora. El fuego que antes llevaba en su interior está ahora por todo su alrededor; es el fuego ambivalente de carnaval que «destruye y renueva el mundo, simultáneamente» (p. 126). En *Aloma* son las hogueras o *focs* de San Juan; en *La isla...*, los fuegos artificiales de la gran celebración. Al volver a casa de madrugada, Aloma atiza las moribundas ascuas de la hoguera de su barrio, empleando para ello —no podría ser de otra manera en un cuento de Cenicienta—, la punta de su zapato [13]. «—Et cremaràs— li va dir Robert» (p. 75). [Te quemarás, le dijo Roberto.] Marta, en cambio, aparta a Pablo de las muchedumbres y del fuego, llevándole a una plaza tranquila al lado de una pequeña iglesia que «inspiraba ideas de perennidad, pureza, ensueño» (p. 139).

Dentro de las dos novelas se emplea lo que Bajtin llama la «relatividad jubilosa de toda estructura y orden» para motivar la confrontación erótica, para hacer verosímil el juntarse una dulce recluida con un sinvergüenza vagabundo. Durante una sola noche del año no son antípodas el sexo —bajo el aspecto de un hombre cachondo—, y la mujer soltera. Los beneficios sociales o demográficos de esta *mésalliance* se harán patentes unos nueve meses después. Para la mujer, entonces, la llamada carnavalesca a la «relatividad jubilosa» es una trampa que pone a prueba su resolución de evitar la esclavitud consustancial a la sexualidad.

Aloma cae por todas las razones enumeradas, y porque a diferencia de Marta nunca ha elaborado un sueño trascendental. Cuando Robert se embarca de nuevo, ella se queda a pagar las «consecuencias nefastas de la verdad» mentadas en «Nocturn». Las referencias a la «caída» son explícitas en *Aloma,* como lo es su imagen. Cuando Aloma se queda mirando un par de caballos que han caído en la calle, como si estuviera hipnotizada por el espectáculo, Robert le pregunta: «"Ño caus mai, tu?" "Quan vull"», le contesta. [«¿Y tú no caes nunca?» «Cuando quiero.»] (p. 39). Cuando va a despedirse de él a bordo del barco, cae desmayada al suelo. Tan sólo lo nota su hermano; Robert está demasiado ensimismado para ver nada. Su desliz la aliena de todo lo que ha valorado en su vida. Encuentra asqueroso su cuerpo embarazado, y le da vergüenza pasearlo por el

[13] Puede ser, como dice el personaje de Hamlet, que «clothes make the man» (la ropa hace al hombre, o sea «el hábito hace al monje»). Pero en muchas ficciones feminocéntricas son los zapatos los que hacen a las mujeres. Véanse, por ejemplo, la Cenicienta, la madrastra de Blancanieves, etc. Gilbert y Gubar estudian la imagen de los «zapatos rojos» en la historia de la Cenicienta y en la poesía de Anne Sexton y de Margaret Atwood, pp. 42-45, 56-57.

querido jardín; le parece que ni siquiera le pertenece a ella, sino a la criatura por nacer. Aunque desea suicidarse como su hermano lo ha hecho antes, siente que ya le está prohibido tomar tal decisión; tiene que seguir tirando por el hijo. Ha perdido su identidad, y cuando las deudas contraídas por el hermano les hace a ambos perder la casa familiar y su jardín, da por terminada su vida sensible. Es apropiado que en el nuevo piso miserable, su única ventana dé a un patio interior «fosc i esquifit» (p. 122) [oscuro y estrecho]: representa su nueva visión del futuro. «Aniria de la mà del fill per camins foscos que no hauria vist mai. Ell parlaria, li faria preguntes i ella no sabria què dir-li. Per dintre ja seria morta» (p. 117). [Caminaría cogida de la mano del hijo por caminos oscuros que no habría visto nunca. Él hablaría, le haría preguntas y ella no sabría qué responder. Por dentro ya estaría muerta.]

La implacable locomotora de los proairetismos y del hermeneutismo que se había comenzado a desacelerar al compás de las palabras de Joan explicándole la inminente venta de la casa (cap. 14), se detiene por completo cuando Aloma traspasa la verja de su viejo jardín para echar un último vistazo a la que había sido su casa. «Va tancar el reixat i les frontisses van grinyolar. Va pensar, com sempre: "Demà hi posaré oli." Demà? Quin demà?» (p. 124). [Cerró la verja y las bisagras chirriaron. Pensó, como siempre: «Mañana las aceitaré.» ¿Mañana? ¿Qué mañana?]

En mejores condiciones para resistir los embates de su «bienamada némesis» que la pobre Aloma, Marta nunca tiene necesidad de hacerlo. En su fatídica noche carnavalesca Pablo está borracho, y su hombría es cuestionada en un altercado público. Huye de la escena sin defenderse, y cuando Marta le persigue, le encuentra vomitando en una esquina. A pesar de todo lo que la naturaleza pone de su parte —cielo estrellado, brisas leves y aromáticas—, esta «confrontación erótica» resulta una pura sublimación, la primera lección que recibe Marta acerca de cómo ser mujer sin mantener necesariamente un contacto sexual: siendo abnegada, perdonando, sufriendo. «Ver a aquel hombre enfermo no le hacía daño, sino que la llenaba de una especie de orgullo por ser ella y no otra persona quien en aquel momento estuviese a su lado. Todas sus sensaciones estaban también cambiadas y como sublimadas por su propio mareo.» Momentos después, tiene su primera experiencia «sexual» al llorar: «Sus hombros se estremecían convulsivamente. No podía acabar aquel llanto [...]. Cuando la marejada del llanto iba cediendo, una nueva explosión, como una ola, la sacudía [...]. Todos sus huesos estaban doloridos. Su alma terminó lavada, removida, tronchada y llena de riqueza a un tiempo. Ella no sabía por qué no se sentía débil, ni avergonzada de llorar. Le pareció, por primera vez en su vida, que hay algo muy hermoso en el llanto» (p. 143).

Esta afortunada evasión del «demonio» de la sexualidad y de su devastadora secuela, el matrimonio, le permite a Marta comenzar una vida propia. Para una joven, decir que no (o que las circunstancias le hagan decirlo) sigue siendo la única posibilidad de triunfar. Como observa Miller de la protagonista del siglo XVIII: «es de la nada que el todo se gana» («Female...», p. 638). Sin embargo, el texto da a entender que Marta no saldrá tan ilesa de futuras «confrontaciones eróticas»; hay muchos carnavales, y no siempre estará incapacitado su acompañante. Además, vive en una sociedad tan altamente polarizada en términos del género, que le será difícil resistir siempre las incitaciones a asimilarse.

Aloma y *La isla...*, relatos aleccionadores ambos, advierten a las jóvenes que a pesar de lo que digan las novelas románticas la única esperanza que tienen para triunfar está en decir que no. Ni las palabras seductoras ni las relatividades jubilosas del carnaval deben convencerlas de lo contrario. Tienen que combatir ellas solas contra las «coyunturas polarizadoras» y contra una sociedad polarizada. Y aún así, como en el caso conjetural de Marta, es posible que pierdan la batalla.

La despiadada visión que *Aloma* da del hombre, del amor romántico y de la maternidad no es anómala en la obra de Rodoreda. Con la excepción de su última novela, *Quanta, quanta guerra...* (1980), todas sus obras muestran las desastrosas consecuencias del amor pasional, de la maternidad no deseada y de la irresponsabilidad masculina. Casada muy joven con un hombre mayor que era además su tío, Rodoreda tuvo un hijo casi de inmediato, y a los pocos años se separó del marido. Anna Murià recuerda que su amiga Mercè aparentaba tener poco sentimiento maternal, y parecía más bien desconcertada que contenta con el nacimiento del hijo (Rodoreda, *Cartes...*, pp. 28-29). En todo caso, al exiliarse dejó al hijo en Barcelona, a cuidado de su madre, y le vio poco en años posteriores. La admonición que *Aloma* ofrece a su joven lectora es la más desembozada de todas las obras rodoredianas, lo cual refleja seguramente la cercanía vital de este texto, escrito en 1936, a su propio paso en falso.

La isla... parece igualmente teñida de la experiencia propia de Laforet. De hecho, su dedicatoria establece un paralelo entre la vida de la autora y la ficción misma: «A Carmen Castro de Zubiri, que con su admirable y abnegado sentido de la amistad ha contribuido, en gran parte, a que este libro pueda ver la luz. Con admiración y cariño. A mi padre, arquitecto de Las Palmas. A todos los parientes y amigos que tengo en la isla, donde pasé los mejores años de mi vida... Sin demonios.»

La última oración implica que su vida, mientras escribía la novela, era menos feliz que la vivida en Canarias; que sus mejores años eran aquellos pasados sin «demonios», palabra que en *La isla...* toma un único sentido, el de la sexualidad adulta. Si se compara la fecha de terminación de *La isla...* con la biografía de Laforet, se ve que en 1952 llevaba seis años de casada y que había tenido cuatro hijos. A la vista de estos datos, la dedicatoria a su amiga abnegada —hay que suponer que ésta la ayudó a terminar la novela relevándola de vez en cuando en el cuidado de los pequeños—, cobra un toque de patetismo. Sólo cuando se cotejan estos datos personales con el contexto sociocultural dentro del cual *La isla...* fue escrita —la mistificación franquista de la familia y de su corolario, la abnegación femenina—, sólo entonces se llega a apreciar plenamente la valentía que demostró Carmen Laforet al escribir una novela que a cualquier joven que aspire a una vida o una voz propia le aconseja sin ambages que huya del «amor» o de los «demonios», que vienen a ser lo mismo.

BIBLIOGRAFÍA

Abel, Elizabeth, «Introducción», Abel, pp. 1-7.

—— (comp.), *Writing and Sexual Difference,* Chicago, U. of Chicago P., 1982.

Abellán, José Luis (comp.), *El exilio español de 1939,* 6 vols., Madrid, Taurus, 1976.

Abellán, Manuel, *Censura y creación literaria en España (1939-1976),* Barcelona, Península, 1980.

Alborg, Juan Luis, *Hora actual de la novela española,* Madrid, Gredos, 1958-1962, 2 vols.

Allen, Carolyn J., «Feminist(s) Reading: a Response to Elaine Showalter», Abel, pp. 298-303.

Arnau, Carme, *Introducció a la narrativa de Mercè Rodoreda: el mite de la infantesa,* Barcelona, Eds. 62, 1979.

Ayala, Francisco, «Testimonio de la nada» (1947). Reimp. en *Confrontaciones,* Barcelona, Seix Barral, 1972.

Bajtin (Bakhtin), Mijail, *Problems of Dostoevsky's Poetics,* trad. Caryl Emerson, Minneapolis, U. of Minnesota P., 1984.

Barrie, J. M., *Peter and Wendy,* vol. IX de *The Works of J. M. Barrie,* Nueva York, Scribner's, 1930.

Barthes, Roland, *S/Z: An Essay,* trad. Richard Miller, Nueva York, Hill and Wang, 1974. [*S/Z,* Madrid, Siglo XXI, 1980.]

Beauvoir, Simone de, *Le deuxième sexe,* 1949. [*El segundo sexo,* Buenos Aires, Siglo XX, 1965; *El segon sexe,* Barcelona, Eds. 62.]

Bellver, Catherine G., «Montserrat Roig and the Penelope Syndrome», *ALEC,* 12 (1987), pp. 111-21.

Bibliografía Hispánica, 4.12 (1945).

Bieder, Maryellen, «La mujer invisible: Lenguaje y silencio en dos cuentos de Mercè Rodoreda», *Homenatge a Josep Roca-Pons,* Montserrat, Abadía de Montserrat, 1991, pp. 92-110.

Bozal, Valeriano, «La edición en España. Notas para su historia», *Cuadernos para el Diálogo,* 14, extraordinario (1969), pp. 85-93.

Brooke-Rose, Christine, «The Readerhood of Man», Suleiman y Crosman, pp. 120-48.

Brown, Roger y Albert Gilman, «The Pronouns of Power and Solidarity», *Style in Language,* comp. Thomas A. Sebeok, Cambridge, Mass., MIT Press, 1960, pp. 253-76.

Burke, Carolyn, «Irigaray Through the Looking Glass», *Feminist Studies,* 7 (1981), pp. 288-306.

Busquets i Grabulosa, Lluís, «Mercè Rodoreda, passió eterna i fràgil», *Plomes catalanes contemporànies,* Barcelona, Eds. del Mall, 1980, pp. 57-64.

Cardinal, Marie, *Les mots pour le dire,* París, Grasset, 1975. [*Las palabras para decirlo,* trad. Marta Pessarrodona, Barcelona, Argos Vergara, 1980.]

Castellet, Josep Maria, *Els escenaris de la memòria,* Barcelona, Eds. 62, 1988.

Chacel, Rosa, Entrevista, *ABC,* 2 de enero de 1983. Con Joaquín Vila. Reimpr. en *Boletín Cultural,* 16 (1983), pp. 5-7.

Chandler, Richard E. y Kessel Schwartz, *A New History of Spanish Literature,* Baton Rouge, Louisiana State UP, 1961.

Chodorow, Nancy, *The Reproduction of Mothering: Psychoanalysis and the Sociology of Gender,* Berkeley, U. of California P., 1978. [*Ejercicio de la maternidad,* trad. Oscar L. Molina, Barcelona, Gedisa, 1984.]

Chown, Linda, «American Critics and Spanish Women Novelists, 1942-1980», *Signs,* 9 (1983), pp. 91-107.

Ciplijauskaité, Biruté, *La novela femenina contemporánea (1970-1985). Hacia una tipología de la narración en primera persona,* Barcelona, Anthropos, 1988.

Cixous, Hélène, «Entretien avec Françoise van Rossum-Guyon», *Revue des Sciences Humaines,* 44 (1977), pp. 479-93.

Culler, Jonathan, *Structuralist Poetics,* Ithaca, Cornell UP, 1975. [*La poética estructuralista,* Barcelona, Anagrama, 1979.]

Díaz, Janet, *Ana María Matute,* Nueva York, Twayne, 1971.

—— «Spanish Civil War and Exile in the Novels of Aub, Ayala and Sender», Moeller, pp. 207-31.

Didier, Beatrice, «Femme/Identité/Écriture: A propos de l'*Histoire de ma vie* de George Sand», *Revue des Sciences Humaines,* 44 (1977), pp. 561-76.

Dinnerstein, Dorothy, *The Mermaid and the Minotaur: Sexual Arrangements and Human Malaise,* Nueva York, Harper, 1976.

Dixon, Bob, *Catching Them Young: Sex, Race and Class in Children's Fiction,* Londres, Pluto, 1977.

Domínguez Prats, Pilar, «Las mujeres españolas republicanas refugiadas en México, precedente histórico: su vida en España hasta 1939 y la motivación del exilio», IV Jornadas de Investigación Interdisciplinaria, Madrid, abril de 1984.

Durán, María Ángeles, «Sobre literatura y vida cotidiana (A modo de prólogo)», Durán y Rey, pp. 11-33.

Durán, María Ángeles y José Antonio Rey (comps.), *Literatura y vida cotidiana. Actas de las cuartas jornadas de investigación interdisciplinaria,* Zaragoza, Seminario de Estudios de la Mujer, Univ. Autónoma de Madrid, 1987.

El Saffar, Ruth, «Structural and Thematic Tactics of Suppression in Carmen Laforet's *Nada*», *Symposium,* 28 (1974), pp. 119-29.

Ellman, Mary, *Thinking About Women,* Nueva York, Harcourt, 1968.

Fetterley, Judith, *The Resisting Reader: a Feminist Approach to American Fiction,* Bloomington, Indiana UP, 1978.

Flynn, Elizabeth y Patrocinio P. Schweickart (comps.), *Gender and Reading. Essays on Readers, Texts, and Contexts,* Baltimore, Johns Hopkins UP, 1986.

Fontcuberta, Mar de, «La Ginocrítica: una perspectiva literaria "otra"», Durán y Rey, pp. 53-65.

Fox-Lockert, Lucía, *Women Novelists in Spain and Latin America,* Metuchen, N. J., Scarecrow, 1979.

Franco, Jean, «Opportunities for Women's Studies in the Hispanic Field», *Women in Print I,* comps. Joan E. Hartman y Ellen Messer-Davidow, Nueva York, MLA, 1982, pp. 159-71.

Gabancho, Patrícia, *La rateta encara escombra l'escaleta: cop d'ull a l'actual literatura catalana de dona,* Barcelona, Eds. 62, 1982.

Galerstein, Carolyn, «Outside-Inside Views of Exile: Spanish Women Novelists and Younger-Generation Writers», Moeller, pp. 137-48.

—— (comp.), *Women Writers of Spain: an Annotated Bio-Bibliographical Guide,* Westport, Ct., Greenwood, 1986.

Gallego Méndez, María Teresa, *Mujer, Falange y franquismo,* Madrid, Taurus, 1983.

Gallop, Jane, *The Daughters's Seduction: Feminism and Psychoanalysis,* Ithaca, Cornell UP, 1982.

——, «Reading the Mother Tongue: Psychoanalytic Feminist Criticism», *Critical Inquiry,* 13 (1987), pp. 314-29.

García Márquez, Gabriel, «Recuerdo de una mujer invisible: Mercè Rodoreda», *Clarín,* 30 de junio de 1983, sec. Cultura y nación, p. 6.

Gardiner, Judith Kegan, «On Female Identity and Writing by Women», Abel, pp. 177-91.

Garner, Shirley Nelson, Claire Kahane y Madelon Sprengnether (comps.), *The (M)other Tongue: Essays in Feminist Psychoanalytic Criticism,* Ithaca, Cornell UP, 1985.

Gauthier, Xavière, «Existe-t-il une écriture de femme?», *Tel quel,* verano de 1970. Trad. en Marks y Courtivron, pp. 161-64.

Geertz, Clifford, *The Interpretation of Cultures,* Nueva York, Basic Books, 1973.

Gilbert, Sandra y Susan Gubar, *The Madwoman in the Attic: the Woman Writer and the Nineteenth-Century Literary Imagination,* New Haven, Yale UP, 1979.

Gilligan, Carol, *In a Different Voice: Psychological Theory and Women's Development,* Cambridge, Mass., Harvard UP, 1982.

Gilmore, David, *People of the Plain,* Nueva York, Columbia UP, 1980.

——, «The Social Organization of Space: Class, Cognition, and Residence in a Spanish Town», *American Ethnologist,* 4 (1977), pp. 437-51.

Goytisolo, Juan, *Reivindicación del conde don Julián,* México, Joaquín Mortiz, 1970.
——, *Señas de identidad,* México, Joaquín Mortiz, 1966.
——, «Supervivencias tribales en el medio intelectual español», *Disidencias,* Barcelona, Seix Barral, 1977, pp. 137-49.
Humm, Maggie, «Feminist Literary Criticism in America and England», *Women's Writing: a Challenge to Theory,* Sussex, Harvester, 1986, pp. 90-116.
Ilie, Paul, *Literature and Inner Exile: Authoritarian Spain 1939-1975,* Baltimore, Johns Hopkins UP, 1980. [*Literatura y exilio interior: escritores y sociedad en la España franquista,* Madrid, Fundamentos, 1981.]
Jameson, Frederic, *The Prison-House of Language,* Princeton, Princeton UP, 1972. [*La cárcel del lenguaje,* Barcelona, Ariel, 1980.]
Johnson, Roberta, *Carmen Laforet,* Boston, Twayne, 1981.
Jones, Ann Rosalind, «Writing the Body: Toward an Understanding of *l'Écriture féminine*», *Feminist Studies,* 7 (1981), pp. 247-63. Reimp. en Showalter, pp. 361-77.
Jones, Margaret E. W., *The Literary World of Ana María Matute,* Lexington, UP of Kentucky, 1970.
Kolodny, Annette, «Dancing Through the Minefield: Some Observations on the Theory, Practice, and Politics of a Feminist Literary Criticism», Showalter, pp. 144-67.
Laforet, Carmen, Entrevista, Nichols, *Escribir...,* pp. 127-45.
——, *La isla y los demonios,* Barcelona, Destino, 1970.
——, *La mujer nueva,* Barcelona, Destino, 1956.
——, *Nada,* 1945, Barcelona, Destino, 1971.
Lakoff, Robin, *Language and Woman's Place,* Nueva York, Harper, 1975. [*El lenguaje y el lugar de la mujer,* Barcelona, Hacer, 1981.]
Lauter, Estella, *Women as Mythmakers,* Bloomington, Indiana UP, 1984.
Levine, Linda G., y Gloria F. Waldman, *Feminismo ante el franquismo,* Miami, Universal, 1979.
Makward, Christiane, «La critique féministe, éléments d'une problèmatique», *Revue des Sciences Humaines,* 54 (1977), pp. 619-24.
Manent, Albert, *La literatura catalana a l'exili,* Barcelona, Curial, 1976.
Manteiga, Roberto, Carolyn Galerstein y Kathleen McNerney (comps.), *Feminine Concerns in Contemporary Spanish Fiction by Women,* Potomac, Md., Scripta Humanistica, 1988.
Marks, Elaine, «Women and Literature in France», *Signs,* 3 (1978), pp. 832-42.
Marks, Elaine e Isabelle de Courtivron (comps.), *New French Feminisms: an Anthology,* Amherst, Mass., U. of Massachusetts P., 1980.
Martín Gaite, Carmen, *Usos amorosos de la postguerra española,* Barcelona, Anagrama, 1987.
Martín Santos, Luis, *Tiempo de silencio,* 1962, ed. rev., Barcelona, Seix Barral, 1972.

Martínez Cachero, J. M., *Historia de la novela española entre 1939 y 1975,* 2.ª ed. rev., Madrid, Castalia, 1979.
Matute, Ana María, Entrevista, Nichols, *Escribir...,* pp. 31-69.
——, *A la mitad del camino,* Barcelona, Rocas, 1961.
——, *Obra completa,* vol. 5, Barcelona, Destino, 1976.
——, *Primera memoria,* 1960, reimp., Barcelona, Destino, 1973.
——, *Sólo un pie descalzo,* Barcelona, Lumen, 1983.
McDonogh, Gary, *The Good Families: a Social History of Power in Industrial Barcelona,* Princeton, Princeton UP, 1986. [*Las buenas familias de Barcelona,* Barcelona, Omega, 1988.]
McNerney, Kathleen y Cristina Enríquez de Salamanca (comps.), *Double Minorities of Spain: a Bio-Bibliographical Guide to Women Writers of Catalonia, Galicia, and the Basque Country,* Nueva York, MLA, en prensa.
Meyer, Leonard, «Grammatical Simplicity and Relational Richness: the Trio of Mozart's G Minor Symphony», *Critical Inquiry,* 2 (1976), pp. 693-761.
Miller, Beth (comp.), *Women in Hispanic Literature: Icons and Fallen Idols,* Berkeley, U. of California P., 1983.
Miller, Nancy, «Emphasis Added: Plots and Plausibilities in Women's Fiction», *PMLA,* 96 (1981), pp. 36-48. (Reimp. en Showalter, pp. 339-60).
——, «The Exquisite Cadavers: Women in Eighteenth-Century Fiction», *Diacritics,* 5 (1975), pp. 37-43.
——, «Female Sexuality and Narrative Structure in *La Nouvelle Héloïse* and *Les Liaisons dangereuses*», *Signs,* 1 (1976), pp. 609-38.
——, *The Heroine's Text: Readings in the French and English Novel, 1722-1782,* Nueva York, Columbia UP, 1980.
Millet, Kate, *Sexual Politics,* Nueva York, Doubleday, 1970.
Mitchell, Juliet, *Women's Estate,* Nueva York, Vintage, 1971. [*La condición de la mujer,* Barcelona, Anagrama, 1974.]
Moeller, Hans-Bernhard, «Historical Background and Patterns of the Exodus of European Exile Writers», Moeller, pp. 207-31.
—— (comp.), *Latin America and the Literature of Exile,* Heidelberg, Carl Winter Universitatsverlag, 1983.
Moers, Ellen, *Literary Women: the Great Writers,* Nueva York, Doubleday, 1976.
Moi, Toril, *Sexual/Textual Politics,* Londres, Methuen, 1985. [*Teoría literaria feminista,* Madrid, Cátedra, 1988.]
Moix, Ana María, Entrevista, Nichols, *Escribir...,* pp. 103-25.
——, *Julia,* Barcelona, Seix Barral, 1970.
Montseny, Frederica, *Cent dies de la vida d'una dona (1939-40),* trad. Dolors Burón Pinyol, Barcelona, Galba, 1977. [«Jaque a Franco», Tolosa, Universo, 1950.]
Mosaic, 8.3 (1975). (Número especial dedicado a la literatura y el exilio.)
Nichols, Geraldine, C., «Children's Literature in Spain, 1939-1950: Ideology

and Practice», *Fascismo y experiencia literaria: reflexiones para una recanonización,* comp. Hernán Vidal, Minneapolis, Institute for the Study of Ideologies and Literature, 1985, pp. 213-21. [Trad. al castellano en *Texto y sociedad: Problemas de la historia literaria,* comps. Bridget Aldaraca, Edward Baker y John Beverley, Amsterdam, Rodopi, 1990, pp. 259-60.]

——, *Escribir, espacio propio: Laforet, Matute, Moix, Tusquets, Riera y Roig por sí mismas,* Minneapolis, Institute for the Study of Ideologies and Literature, 1989.

——, «Mitja poma, mitja taronja: Génesis y destino literarios de la catalana contemporánea», *Anthropos,* 60-61 (1985), pp. 118-25.

——, «Times Past, Joys Present», *Children's Literature,* 15 (1987), pp. 174-78.

Ordóñez, Elizabeth, «*Nada*: Initiation into Bourgeois Patriarchy», *The Analysis of Hispanic Texts: Current Trends in Methodology,* comps. Lisa E. Davis e Isabel C. Tarán, Nueva York, Bilingual, 1975, pp. 61-78.

Ortner, Sherry, «Is Female to Male as Nature is to Culture?», *Woman, Culture, and Society,* comps. Michelle Zimbalist Rosaldo y Louise Lamphere, Stanford, Stanford UP, 1974, pp. 67-87.

Pàmies, Teresa, *Quan érem Capitans,* Barcelona, DOPESA, 1974.

Pemán, José María, *De doce cualidades de la mujer,* 1947, reimp., Madrid, Prensa Española, 1969.

Pérez, Janet, *Contemporary Women Writers of Spain,* Boston, Twayne, 1988.

—— (comp.), *Novelistas femeninas de la postguerra española,* Madrid, Porrúa Turanzas, 1984.

Phillips, John A., *Eve: the History of an Idea,* Nueva York, Harper, 1984. [*Eva: La historia de una idea,* México, Fondo de Cultura Económica, 1988.]

Pitt-Rivers, J. A., *The People of the Sierra,* Chicago, U. of Chicago P., 1961.

Porcel, Baltasar, «Mercè Rodoreda o la força lírica», *Serra d'Or,* 8 (1966), pp. 231-35.

Prat, Joan, «La posición de la mujer en el Israel bíblico y Cataluña: notas para una aproximación», *Ethnica. Revista de Antropología,* 10 (1975), pp. 99-151.

Pratt, Annis, «Archetypal Approaches to the New Feminist Criticism», *Bucknell Review,* 21 (1973), pp. 3-14.

——, *Archetypal Patterns in Women's Fiction,* Bloomington, Indiana UP, 1981.

Richman, Michèle, «Sex and Signs: The Language of French Feminist Criticism», *Language & Style,* 13 (1980), pp. 62-80.

Riera, Carme, «Personajes femeninos, metonimia de la escritora», *El País,* 14 de abril de 1983, p. 25.

——, «Literatura femenina: ¿Un lenguaje prestado?», *Quimera,* 18 (1982), pp. 9-12.

——, «Te deix, amor, la mar com a penyora», *Te deix, amor, la mar com a penyora,* Barcelona, Laia, 1975, pp. 19-36. [«Te entrego, amor, la mar, como una ofrenda», *Palabra de mujer,* trad. Carme Riera, Barcelona, Laia, 1980, pp. 9-32.]

Rodoreda, Mercè, *Aloma,* 1936. Ed. revisada 1969, reimp. Barcelona, Eds. 62, 1984.

——, *Cartes a l'Anna Murià 1939-1956,* comp. Isabel Segura, Barcelona, LaSal, 1985.

——, Pròleg, *Mirall trencat,* Barcelona, Eds. 62, 1983.

——, *Quanta, quanta guerra...,* Barcelona, Club Editor, 1980.

——, *Tots els contes,* comp. Carme Arnau, Barcelona, Eds. 62, 1979.

Roig, Montserrat, Entrevista. Nichols, *Escribir...,* pp. 147-85.

——, «L'alè poètic de Mercè Rodoreda», *Retrats paral.lels/2,* Montserrat, Publicacions de l'Abadia de Montserrat, 1976, pp. 163-76.

——, *L'hora violeta,* Barcelona, Eds. 62, 1980. [*La hora violeta,* trad. Enrique Sordo, Barcelona, Argos Vergara, 1980.]

——, «La mujer en el exilio», *¿Tiempo de mujer?,* Barcelona, Plaza y Janés, 1980, pp. 209-14.

——, *Els catalans als camps nazis,* Barcelona, Eds. 62, 1977. [*Noche y niebla: los catalanes en los campos nazis,* trad. C. Vilaginés, Madrid, Península, 1978.]

——, *El temps de les cireres,* Barcelona, Eds. 62, 1977. [*Tiempo de cerezas,* trad. Enrique Sordo, Barcelona, Argos Vergara, 1980.]

Romero, Isabel, Isabel Alberdi, Isabel Martínez y Ruth Zauner, «Feminismo y literatura: la narrativa de los años setenta», Durán y Rey, pp. 337-57.

Rubin, Gayle, «The Traffic in Women: Notes on the "Political Economy" of Sex», *Toward an Anthropology of Women,* comp. Rayna R. Reiter, Nueva York, Monthly Review, 1975.

Sanz Villanueva, Santos, «La narrativa del exilio», Abellán, vol. 4, pp. 109-82.

Servodidio, Mirella (comp.), *Reading for Difference: Feminist Perspectives on Women Novelists of Contemporary Spain. Anales de la Literatura Española Contemporánea,* 12 (1987).

Servodidio, Mirella y Marcia L. Welles (comps.), *From Fiction to Metafiction: Essays in Honor of Carmen Martín Gaite,* Lincoln, Society of Spanish and Spanish-American Studies, 1983.

Showalter, Elaine, «Feminist Criticism in the Wilderness», Showalter, pp. 243-70.

——, *A Literature of Their Own,* Princeton, Princeton UP, 1977.

——, «Toward a feminist poetics», Showalter, pp. 125-43.

—— (comp.), *The New Feminist Criticism,* Nueva York, Pantheon, 1985.

Spacks, Patricia Meyer, *The Female Imagination,* Nueva York, Knopf, 1975. [*La imaginación femenina,* Madrid, Debate, 1980.]

Spalek, John M., «The Varieties of Exile Experience: German, Polish, and Spanish Writers», Moeller, pp. 71-90.

Spivak, Gayatri C., «French Feminism in an International Frame», *Yale French Studies,* 62 (1981), pp. 154-84.

Stevens, James, «Myth and Memory: Ana María Matute's *Primera memoria*», *Symposium,* 25 (1971), pp. 198-203.

Stierle, Karlheinz, «The Reading of Fictional Texts», Suleiman y Crosman, pp. 83-105.

Suleiman, Susan R. e Inge Crosman (comps.), *The Reader in the Text,* Princeton, Princeton UP, 1980.

Thomas, Michael, «The Rite of Initiation in Matute's *Primera memoria*», *Kentucky Romance Quarterly,* 25 (1978), pp. 153-64.

Thorne, Barrie y Nancy Henley, «Difference and Dominance: an Overview of Language, Gender, and Society», *Language and Sex: Difference and Dominance,* comps. Barrie Thorne y Nancy Henley, Rowley, Mass., Newbury House, 1975, pp. 5-42.

Tiburón, Gutierre, *Diccionario Etimológico Comparado de Nombres Propios de Persona,* México, UTEHA, 1956.

Tillion, Germaine, *The Republic of Cousins: Women's Oppression in Mediterranean Society,* trad. Quintin Hoare, Londres, Al Saqui Books, 1983. [*Le Harem et les cousins,* París, Seuil, 1966.]

Todorov, Tzvetan, «Les catégories du récit littéraire», *Communications,* 8 (1966), pp. 125-51.

Traba, Marta, «Hipótesis sobre una escritura diferente», *Quimera,* 13 (1981), pp. 9-11.

Truxa, Sylvia, Carta a la autora, 2 de septiembre de 1985.

Tusquets, Esther, Entrevista, Nichols, *Escribir...,* pp. 71-101.

——, «Ana María en Sitges», *Las Nuevas Letras,* 1 (1984), pp. 71-75.

——, *El mismo mar de todos los veranos,* Barcelona, Lumen, 1981.

Valis, Noël, «La literatura infantil de Ana María Matute», *Cuadernos Hispanoamericanos,* 389 (1982), pp. 407-15.

Valis, Noël y Carol Maier (comps.), *In the Feminine Mode: Essays on Hispanic Women Writers,* Lewisburg, Pa., Bucknell UP, 1988.

Winnett, Susan, «Coming Unstrung: Women, Men, Narrative, and the Principles of Pleasure», *PMLA,* 105 (1990), pp. 505-18.

Wittig, Monique, *Les guérillères,* 1969. [*Las guerilleras,* Barcelona, Seix Barral.]

Woolf, Virginia, *A Room of One's Own,* 1928. [*Una habitación propia,* Barcelona, Seix Barral, 1967.]

ÍNDICE DE NOMBRES

ÍNDICE TEMÁTICO

LINGÜÍSTICA Y TEORÍA LITERARIA

BAJTIN, M.—*Estética de la creación verbal.*
BAKER, E.—*Materiales para escribir Madrid. Literatura y espacio urbano de Moratín a Galdós.*
BARTHES, R.—*S/Z.*
BENVENISTE, E.—*Problemas de lingüística general.*
BLOCK DE BEHAR, L.—*Un medio entre medios.*
BLOCK DE BEHAR, L.—*Al margen de Borges.*
CAMPRA, R.—*América Latina: La identidad y la máscara.*
CASTAÑAR, F.—*El compromiso en la novela de la II República.*
CHOMSKY, N.—*Estructuras sintácticas.*
CHOMSKY, N.—*Sintáctica y semántica en la gramática generativa.*
CHOMSKY, N.—*Problemas actuales en teoría lingüística/Temas teóricos de gramática generativa.*
DALTON, R., y otros.—*El intelectual y la sociedad.*
DUCROT, O./TODOROV, T.—*Diccionario enciclopédico de las ciencias del lenguaje.*
GALÁN, F.—*Las estructuras históricas. El proyecto de la Escuela de Praga, 1928-1946.*
GONZÁLEZ BOIXO, J. C.—*Claves narrativas de Juan Rulfo.*
GUIRAUD, P.—*La semiología.*
HERNÁNDEZ PINA, F.—*Teorías psicosociolingüísticas y su aplicación a la adquisición del español como lengua materna.*
KEEFE UGALDE, S.—*Conversaciones y poemas. La nueva poesía femenina española en castellano.*
MALMBERG, B.—*Los nuevos caminos de la lingüística.*
MANTECA ALONSO, A. (comp.).—*Lingüística y sociedad.*
NICHOLS, G. C.—*Des/cifrar la diferencia. Narrativa femenina de la España contemporánea.*
ORDIZ, F. J.—*El mito en la obra narrativa de Carlos Fuentes.*
OTERO, C. P.—*Introducción a la lingüística transformacional.*
RAMA, Á.—*Transculturación narrativa en América Latina.*
SÁNCHEZ DE ZAVALA, V.—*Indagaciones praxiológicas: sobre la actividad lingüística.*
TODOROV, T.—*Teoría de la literatura de los formalistas rusos.*
TODOROV, T.—*Nosotros y los otros.*
VALVERDE, J. M.—*Antonio Machado.*
VAN DIJK, T. A.—*Estructuras y funciones del discurso.*

DESIGUALDADES Y DIFERENCIAS

DIO BLEICHMAR, E.—*El feminismo espontáneo de la histeria. Estudio de los trastornos narcisistas de la feminidad.*

FERRO, N.—*El instinto maternal o la necesidad de un mito.*

TUBERT, S.—*Mujeres sin sombra. Maternidad y tecnología.*